O CAVALEIRO PRESO NA ARMADURA

ROBERT FISHER

O CAVALEIRO PRESO NA ARMADURA

UMA FÁBULA PARA QUEM BUSCA O CAMINHO DA VERDADE

Tradução
Luiz Paulo Guanabara

57ª edição

EDITORA RECORD
RIO DE JANEIRO • SÃO PAULO
2025

EDITORA-EXECUTIVA
Renata Pettengill

SUBGERENTE EDITORIAL
Mariana Ferreira

ASSISTENTE EDITORIAL
Pedro de Lima

AUXILIAR EDITORIAL
Juliana Brandt

REVISÃO
Caíque Gomes

CAPA
Letícia Quintilhano

DIAGRAMAÇÃO
Beatriz Carvalho
Beatriz Araújo

TÍTULO ORIGINAL
The Knight in the Rusty Armor

CIP-BRASIL. CATALOGAÇÃO NA PUBLICAÇÃO
SINDICATO NACIONAL DOS EDITORES DE LIVROS, RJ

F565c
57ª ed.

Fisher, Robert, 1922-2008
O cavaleiro preso na armadura: uma fábula para quem busca o Caminho da Verdade / Robert Fisher; tradução de Luiz Paulo Guanabara. – 57ª ed. –
Rio de Janeiro: Record, 2025.
21 cm.

Tradução de: The Knight in Rusty Armor
ISBN 978-65-55-87019-0

1. Contos americanos. 2. Literatura infantojuvenil americana. I. Guanabara, Luiz Paulo. II. Título.

20-64903

CDD: 808.899282
CDU: 82-93(73)

Camila Donis Hartmann – Bibliotecária – CRB-7/6472

TÍTULO EM INGLÊS:
THE KNIGHT IN THE RUSTY ARMOR

Copyright © 1990 by Robert Fisher

Texto revisado segundo o novo Acordo Ortográfico da Língua Portuguesa.

Todos os direitos reservados. Proibida a reprodução, no todo ou em parte, através de quaisquer meios. Os direitos morais do autor foram assegurados.

Direitos exclusivos de publicação em língua portuguesa somente para o Brasil adquiridos pela
EDITORA RECORD LTDA.
Rua Argentina, 171 – Rio de Janeiro, RJ – 20921-380 – Tel.: (21) 2585-2000, que se reserva a propriedade literária desta tradução.

Impresso no Brasil

ISBN 978-65-55-87019-0

Seja um leitor preferencial Record.
Cadastre-se no site www.record.com.br e receba informações sobre nossos lançamentos e nossas promoções.

Atendimento e venda direta ao leitor:
sac@record.com.br

Para os queridos amigos Dr. Gianni Boni,
Sandra Dunn e Dr. Robert Sharp, que me ensinaram
o que eu não sabia e me despertaram para o que eu sabia.

Sumário

Capítulo Um — 9
O Dilema do Cavaleiro

Capítulo Dois — 23
Na Floresta de Merlin

Capítulo Três — 41
O Caminho da Verdade

Capítulo Quatro — 55
O Castelo do Silêncio

Capítulo Cinco — 73
O Castelo do Conhecimento

Capítulo Seis — 95
O Castelo da Vontade e da Ousadia

Capítulo Sete — 105
O Vértice da Verdade

Capítulo Um

O DILEMA DO CAVALEIRO

Há muito tempo e numa terra muito distante, vivia um cavaleiro que se tinha por bondoso, gentil e amoroso. Ele fazia tudo que um cavaleiro bondoso, gentil e amoroso faz. Lutava contra inimigos que eram perversos, malvados e odiosos. Matava dragões e resgatava donzelas formosas em perigo. Nos períodos em que não havia muito o que fazer, ele tinha o terrível hábito de resgatar donzelas, mesmo quando elas não queriam ser resgatadas. Por isso, embora muitas damas lhe fossem gratas, outras tantas estavam furiosas com ele. Isso, no entanto, ele aceitava filosoficamente. Afinal de contas, não se pode agradar a todos.

O cavaleiro era conhecido por sua armadura, que refletia raios de luz tão claros que, quando ele partia para a batalha, os aldeões podiam jurar que tinham visto o sol nascer no norte ou se pôr no leste. E ele estava sempre cavalgando para batalhar. À mera menção de uma cruzada, o cavaleiro avidamente vestia sua armadura brilhante, montava em seu cavalo e partia em qualquer direção. Tão ávido estava, na verdade, que algumas vezes cavalgava em várias direções ao mesmo tempo, o que não é proeza das mais fáceis.

Por anos a fio, esse cavaleiro esforçou-se para ser o cavaleiro número um de todo o reino. Sempre havia mais uma batalha a ser vencida, um dragão para destruir ou uma donzela a ser salva.

O cavaleiro tinha uma esposa fiel e um tanto tolerante, chamada Juliet, que escrevia lindas poesias, dizia coisas sábias e tinha predileção por vinhos. Também tinha um filho jovem de cabelo dourado, Christopher. O cavaleiro esperava que, um dia, seu filho viesse a se tornar um corajoso cavaleiro.

Juliet e Christopher pouco viam o cavaleiro, pois quando não estava no campo de batalha, matando dragões ou resgatando donzelas, estava ocupado experimentando a armadura e admirando o lustre dela. Com o passar do tempo, o cavaleiro tornou-se tão enamorado de sua armadura que começou a usá-la para jantar e muitas vezes para dormir. Algum tempo depois, ele nem mais se importava em tirá-la. Pouco a pouco, sua família se esqueceu de sua aparência sem a armadura.

Às vezes, Christopher perguntava à sua mãe como era seu pai. Então, Juliet levava o menino até a lareira e apontava para um retrato do cavaleiro, acima dela.

— Olhe o seu pai — ela suspirava.

Uma tarde, enquanto contemplava o retrato, Christopher disse à sua mãe:

— Queria poder ver o papai em pessoa.

— Você não pode ter tudo! — exclamou Juliet. Sua impaciência aumentava por ter apenas uma foto para lembrar o rosto de seu marido, e ela estava cansada de ter seu sono perturbado pelo ranger da armadura.

Quando estava em casa e não totalmente envolvido com a armadura, o cavaleiro costumava proferir monólogos sobre seus atos de heroísmo. Raramente Juliet e Christopher conseguiam lhe dirigir a palavra. Quando o faziam, ele os interrompia, fechando a viseira ou indo abruptamente para a cama.

Um dia, Juliet desafiou o marido:

— Penso que você ama essa armadura mais do que a mim.

— Isso não é verdade — respondeu o cavaleiro.

— Será que não a amo o bastante? Eu a resgatei daquele dragão e a coloquei neste elegante castelo com pedras de parede a parede!

— O que você amou — disse Juliet, mirando através da viseira para poder ver os olhos do cavaleiro — foi a *ideia* de me resgatar. Você não me amava de verdade naquela ocasião e não me ama de verdade agora.

— Eu amo você *de verdade* — insistiu o cavaleiro, abraçando-a desajeitadamente em sua armadura fria e dura, e quase quebrando as costelas dela.

— Então tire essa armadura para que eu possa ver quem você realmente é! — exigiu ela.

— *Não posso* tirá-la. Tenho de estar pronto para montar em meu cavalo e sair em qualquer direção — explicou o cavaleiro.

— Se você não tirar essa armadura, vou pegar o Christopher, montar no *meu* cavalo e sair de sua vida.

Bem, isso foi um verdadeiro golpe para o cavaleiro. Ele não queria que Juliet fosse embora. Ele amava sua esposa, seu filho e seu elegante castelo, mas também amava sua armadura, porque ela revelava a todos quem ele era — um cavaleiro bondoso, gentil e amoroso. Por que Juliet não compreendia que ele era todas essas coisas?

O cavaleiro estava confuso. Finalmente, ele chegou a uma conclusão. Não valia a pena continuar usando a armadura e perder Juliet e Christopher.

Relutante, tentou remover o elmo, mas a peça não se moveu! Ele puxou com mais força. O elmo permaneceu imóvel. Perturbado, tentou levantar a viseira, mas, que chateação, ela também estava emperrada. Embora pelejasse com a viseira de forma insistente, nada acontecia.

O cavaleiro andou de um lado para o outro, muito agitado. Como isso pôde acontecer? Talvez não fosse tanta surpresa encontrar o elmo emperrado, já que ele não o retirava fazia anos, mas a viseira era diferente. Ele a abria regularmente para comer e beber. Ora, ele a levantara naquela mesma manhã para um desjejum de ovos mexidos e carne de porco.

De repente, o cavaleiro teve uma ideia. Sem dizer para onde ia, correu à oficina do ferreiro, que ficava no pátio do castelo. Quando chegou à oficina, o ferreiro estava modelando uma ferradura com as próprias mãos.

— Seu ferreiro — disse o cavaleiro —, estou com um problema.

— Você *é* um problema, senhor — zombou o ferreiro, com seu tato de sempre.

O cavaleiro, que normalmente gostava de fazer troça, olhou para ele, furioso:

— Não estou com disposição para suas gracinhas agora. Estou preso nesta armadura — vociferou ele, enquanto batia com o pé coberto de aço, pisando acidentalmente no dedão do pé do ferreiro.

O ferreiro soltou um urro e, esquecendo momentaneamente que o cavaleiro era seu patrão, aplicou-lhe um violento golpe no elmo. O cavaleiro sentiu apenas uma pontada de desconforto. O elmo não saiu do lugar.

— Tente de novo — ordenou o cavaleiro, sem atentar para o fato de que o ferreiro agira movido pela raiva.

— Com prazer — concordou o ferreiro, pegando um martelo que estava à mão e desferindo uma vigorosa martelada sobre o elmo do cavaleiro. O golpe não deixou nem marca.

O cavaleiro estava aflito. O ferreiro era de longe o homem mais forte do reino. Se ele não conseguia tirá-lo de dentro da armadura, quem conseguiria?

Sendo um homem gentil, exceto quando o dedão de seu pé era esmagado, o ferreiro percebeu o pânico do cavaleiro e foi solidário:

— Suas condições são bastante adversas, cavaleiro, mas não desista. Volte amanhã, depois que eu estiver descansado. Você me pegou no final de um dia estafante hoje.

O jantar naquela noite foi tumultuado. Juliet ficava cada vez mais aborrecida, enquanto empurrava os pedaços de alimento que amassara através dos orifícios da viseira do marido. A certa altura da refeição, o cavaleiro lhe contou que o ferreiro tentara fender a armadura, mas sem sucesso.

— Não acredito em você, seu desmiolado rangente — exclamou ela, esmagando contra o elmo o prato de pombo cozido cheio até a metade.

O cavaleiro nada sentiu. Somente quando o molho começou a pingar diante da viseira foi que se deu conta de que tinha sido golpeado na cabeça. Ele também, à tarde, mal sentira a martelada do ferreiro. Ao pensar nisso, percebeu que a armadura realmente o impedia mesmo de sentir muita coisa, e ele a usava havia tanto tempo que tinha esquecido como era a vida sem ela.

O cavaleiro estava chateado porque Juliet não acreditava que ele estava tentando retirar a armadura. Ele e o ferreiro *haviam* tentado, e continuaram empenhados vários dias seguidos, porém sem sucesso. A cada dia, o cavaleiro ficava mais desanimado e Juliet, mais distante.

Finalmente, ele teve de admitir que os esforços do ferreiro eram em vão.

— O homem mais forte do reino, realmente! Não consegue nem dar conta desta sucata de aço! — gritou o cavaleiro, frustrado.

Quando o cavaleiro voltou a casa, Juliet desentendeu-se com ele:

— Seu filho não tem mais do que um retrato com o pai, e eu estou cansada de falar com uma viseira fechada. Nunca mais vou lhe dar comida pelos buracos dessa coisa nojenta. Esse foi o último naco de carneiro que amassei!

— Não é culpa *minha* se fiquei preso nesta armadura. Eu *tinha* de usá-la, pois só assim estaria sempre pronto para a luta. De que outro jeito poderia conseguir bons castelos e cavalos para você e Christopher?

— Você não fez isso por *nossa* causa — argumentou Juliet. — Você fez isso para *você mesmo*!

O cavaleiro sentia o coração partido, porque sua mulher parecia não o amar mais. Ele também temia que, se não tirasse logo a armadura, Juliet e Christopher fossem de fato embora. Ele *tinha* de tirar a armadura, mas não sabia como fazê-lo.

Ele descartava uma ideia após a outra, achando que nada iria funcionar. Alguns desses planos eram sem dúvida perigosos. Sabia que qualquer cavaleiro que pensasse em retirar sua armadura derretendo-a com uma tocha, congelando-a ao pular no fosso enregelado que circundava o castelo ou explodindo-a com um canhão precisava muito de ajuda. "*Em algum lugar,* deve haver *alguém* que possa me ajudar a retirar esta armadura", ele pensou.

É claro que iria sentir falta de Juliet, de Christopher e de seu elegante castelo. Ele também receava que, na sua ausência, Juliet pudesse se enamorar de outro cavaleiro, algum disposto a retirar a armadura na hora de dormir e a cumprir seu papel de pai para Christopher. Todavia, o cavaleiro tinha de partir. Então, certa manhã bem cedo, montou em seu cavalo e saiu cavalgando. Não ousou olhar para trás, com medo de que pudesse mudar de ideia.

No caminho da saída da província, o cavaleiro parou para se despedir do rei, que tinha sido muito bom para ele. O rei vivia num imenso castelo situado no topo de uma colina, numa região afortunada. Ao atravessar a ponte levadiça e entrar no pátio, viu o bobo da corte sentado de pernas cruzadas, tocando uma flauta de bambu.

O bobo era chamado de Bolsalegre porque trazia nos ombros uma linda bolsa com as cores do arco-íris, repleta de toda variedade de objetos que faziam as pessoas sorrir ou sentir alegria. Havia cartas estranhas que ele usava para prever o futuro, contas de cores brilhantes que ele fazia aparecer e desaparecer e algumas marionetes pequenas e engraçadas que manipulava para jocosamente insultar suas plateias.

— Oi, Bolsalegre — disse o cavaleiro. — Vim me despedir do rei.

O bobo olhou para ele.

— O rei saiu pelo mundo afora. Não há nada que ele possa lhe dizer agora.

— Para onde ele foi? — perguntou o cavaleiro.

— De uma nova cruzada, foi cuidar. Se esperar por ele, irá se atrasar.

O cavaleiro ficou desapontado por não encontrar o rei e chateado por não poder se unir a ele na cruzada.

— Oh — ele suspirou —, eu já devo estar morto de fome dentro desta armadura, quando o rei retornar. Talvez eu nunca o veja de novo.

O cavaleiro sentiu claramente como se afundasse na sela, mas, é claro, sua armadura não permitiria que isso acontecesse.

— Bem, se não é você uma triste visão? Nem toda sua pujança pode mudar a sua circunstância.

— Não estou achando a menor graça nessas suas rimas debochadas — vociferou o cavaleiro, rígido em sua armadura. — Será que você não pode, ao menos uma vez, levar a sério o problema de alguém?

Com uma voz clara e lírica, Bolsalegre cantou:

— Problemas nunca me deixam balançando. São oportunidades que estão chegando.

— Você cantaria uma canção diferente, se fosse *você* que estivesse entalado aqui dentro — resmungou o cavaleiro.

Bolsalegre retrucou:

— Estamos todos presos em algum tipo de armadura. Apenas mais fácil de encontrar é a sua.

— Não tenho tempo para ficar aqui ouvindo suas besteiras. Tenho de encontrar um jeito de me livrar desta armadura.

Com isso, o cavaleiro cutucou sua montaria com o joelho para seguir em frente, mas Bolsalegre o chamou:

— Cavaleiro, existe alguém que pode lhe ajudar, trazer seu verdadeiro eu para diante do olhar.

O cavaleiro fez seu cavalo parar e, animado, voltou-se para Bolsalegre:

— Você conhece alguém que pode me tirar desta armadura? Quem é essa pessoa?

— O Mago Merlin você precisa encontrar. Então descobrirá como se libertar.

— Merlin? O único Merlin de quem ouvi falar foi o grande e sábio mestre do rei Arthur.

— Sim, sim, sua fama tem esse apreço. Esse é o único e o mesmo Merlin que conheço.

— Mas não pode ser! — exclamou o cavaleiro. — Merlin e Arthur viveram há muito tempo.

— Isso é verdade, mas ele está vivo e bem. A morada do sábio fica nas florestas além — respondeu Bolsalegre.

— Mas são tão vastas essas florestas — disse o cavaleiro. — Como o encontrarei por lá?

Bolsalegre sorriu.

— Dias, semanas ou anos, nunca se sabe ao certo. Quando o discípulo estiver pronto, o mestre estará por perto.

— Não posso esperar que Merlin apareça. Vou sair no encalço *dele* — disse o cavaleiro.

Agradecido, ele esticou o braço e apertou a mão de Bolsalegre, quase esmagando os dedos do bobo com sua manopla. Bolsalegre soltou um grito. O cavaleiro rapidamente largou a mão do bobo.

— Desculpe — disse o cavaleiro, enquanto Bolsalegre esfregava seus dedos doloridos.

— Quando da armadura você se livrar, a dor dos outros também sentirá.

— Já fui! — disse o cavaleiro. Ele girou o cavalo e, com esperança renovada no coração, saiu a galope em busca de Merlin.

Capítulo Dois

NA FLORESTA DE MERLIN

Não era uma tarefa fácil encontrar o esperto feiticeiro. Havia muitas florestas onde procurar, mas apenas um Merlin. Então, o pobre cavaleiro cavalgou e cavalgou, dia após dia, noite após noite, tornando-se cada vez mais fraco.

Enquanto cavalgava pelas florestas sozinho, percebeu que desconhecia inúmeras coisas... Ele sempre se imaginara muito sabido, mas não se sentia nem um pouco sabido tentando sobreviver na floresta.

Relutante, admitiu para si mesmo que sequer sabia diferenciar os frutos venenosos dos comestíveis. Por isso, comer era um jogo de roleta-russa. Beber não era menos arriscado.

O cavaleiro tentou enfiar a cabeça dentro de um córrego, mas seu elmo se encheu de água. Por duas vezes, quase se afogou. Como se isso já não fosse ruim o bastante, ele estava perdido desde que entrara na floresta. O cavaleiro não sabia distinguir norte de sul ou leste de oeste. Felizmente, seu cavalo sabia.

Depois de meses buscando em vão, sentia-se totalmente desanimado. Embora tivesse percorrido muitas léguas, o cavaleiro ainda não havia encontrado Merlin. O que o fazia sentir-se pior era o fato de nem ao menos saber que distância uma légua representava.

Certa manhã, acordou sentindo-se mais fraco que de costume e com uma sensação estranha. Foi nessa manhã que encontrou Merlin. O cavaleiro reconheceu o mago imediatamente. Ele estava sentado debaixo de uma árvore, trajando um longo manto branco. Animais da floresta estavam reunidos à volta dele, e havia pássaros empoleirados sobre seus ombros e braços.

O cavaleiro balançou a cabeça melancolicamente de um lado para o outro, e a armadura rangia com o movimento. Ele pensava: "Como era possível que todos esses animais encontrassem Merlin tão facilmente se para mim foi tão difícil?"

Exausto, o cavaleiro desmontou do cavalo.

— Estive procurando por você — disse ele ao mago. — Há meses que estou perdido.

— Toda a sua vida — corrigiu o mago, arrancando com os dentes um pedaço de cenoura e repartindo-o com o coelho que estava mais próximo.

O cavaleiro enrijeceu:

— Não vim de tão longe para ser insultado.

— Quem sabe você sempre tenha considerado a verdade um insulto — disse Merlin, compartilhando a cenoura com alguns dos outros animais.

O cavaleiro também não ficou muito feliz com esse comentário, mas estava fraco demais, com fome e sede, para montar novamente em seu cavalo e sair cavalgando. Em vez disso, deixou cair sobre a grama seu corpo aprisionado em metal. Merlin olhou para ele com compaixão e disse:

— Você é um grande felizardo. Está fraco demais para fugir.

— O que quer dizer com isso? — perguntou o cavaleiro.

Merlin sorriu em resposta:

— Uma pessoa não pode fugir e aprender ao mesmo tempo. Ela precisa permanecer por algum tempo no mesmo lugar.

— Ficarei por aqui somente o tempo necessário para aprender a me livrar desta armadura — disse o cavaleiro.

— Quando você aprender isso — afirmou Merlin —, nunca mais precisará montar em seu cavalo e sair cavalgando em todas as direções.

O cavaleiro estava muito cansado para questionar isso. De algum modo, sentiu-se confortado e pegou no sono prontamente.

Quando acordou, viu Merlin e os animais à sua volta. Tentou sentar-se, mas estava sem forças. Merlin lhe ofereceu um cálice prateado que continha um líquido de cor estranha.

— Beba — ordenou ele.

— O que é isso? — perguntou o cavaleiro, olhando para o cálice com suspeita.

— Você é tão medroso — disse Merlin. — É claro, é por isso que veste essa armadura.

Como estava com muita sede, o cavaleiro preferiu não contrariar o mago.

— Está bem, eu bebo. Despeje através da viseira.

— Isso não — disse Merlin. — Esse líquido é precioso demais para ser desperdiçado. — Ele então arrancou um bambu, colocou uma ponta dentro do cálice e enfiou a outra por um dos orifícios da viseira do cavaleiro.

— Que grande ideia! — disse o cavaleiro.
— Chamo isso de canudo — replicou Merlin.
— Por quê?
— Por que não?

O cavaleiro encolheu os ombros e sorveu a bebida com o canudo. Os primeiros goles pareciam amargos, os seguintes, mais agradáveis e os últimos, absolutamente deliciosos. Agradecido, o cavaleiro devolveu o cálice a Merlin.

— Você deveria colocar esse produto à venda. Poderia vender jarros dele.

Merlin apenas sorriu.

— O que é essa bebida? — perguntou o cavaleiro.
— Vida — respondeu Merlin.
— Vida?
— Sim — disse o sábio mago. — Não parecia amargo no início, e depois, enquanto você provava mais, não ia se tornando agradável?

O cavaleiro concordou:

— Sim, e os últimos goles eram absolutamente deliciosos.

— Foi quando você começou a aceitar o que estava bebendo.

— Você quer dizer que a vida é boa quando a aceitamos? — perguntou o cavaleiro.

— E não é? — replicou Merlin, levantando uma sobrancelha em sinal de divertimento.

— Você espera que eu aceite toda esta pesada armadura?

— Ah — disse Merlin —, você não nasceu com ela. Foi você quem a vestiu. Será que alguma vez já se perguntou por quê?

— Por que não? — retorquiu o cavaleiro, irritado. Nessa altura, sua cabeça começava a doer. Ele não estava acostumado a pensar dessa maneira.

— Você terá condições de pensar melhor quando recuperar suas forças — disse Merlin.

Com isso, o mago bateu as mãos, e os esquilos, carregando nozes em suas pequenas bocas, enfileiraram-se diante do cavaleiro. Um de cada vez, os esquilos subiram até o ombro dele e, após quebrar e mascar as nozes, enfiaram os pedaços pela viseira do cavaleiro. Os coelhos fizeram a mesma coisa com as cenouras, e o veado esmagou raízes e frutos para o cavaleiro comer. Claro que esse método de alimentação nunca seria aprovado pelo departamento de saúde de nenhum reino; o que mais, porém, um cavaleiro preso em sua armadura e no meio da floresta poderia fazer?

Os animais alimentavam o cavaleiro regularmente, e Merlin lhe dava largas taças de Vida para beber através do canudo. Lentamente, o cavaleiro foi recuperando as forças e suas esperanças começaram a se renovar.

Todos os dias, ele fazia a mesma pergunta a Merlin: "Quando vou sair desta armadura?" Todos os dias, Merlin respondia: "Paciência! Faz muito tempo que você a usa. Não dá para se livrar dela da noite para o dia."

Certa noite, os animais e o cavaleiro ouviam o mago tocar no seu alaúde os últimos sucessos dos trovadores. Quando Merlin acabou de tocar "Ouça essa dos tempos de antigamente, quando os cavaleiros eram valentes e as donzelas indiferentes", o cavaleiro fez uma pergunta que havia muito latejava em sua mente:

— Você foi realmente o mestre do rei Arthur?

A face do mago se iluminou:

— Sim, fui o professor de Arthur — respondeu ele.

— Mas como é possível você ainda estar vivo? Arthur viveu séculos atrás! — exclamou o cavaleiro.

— Quando se está conectado à Fonte, passado, presente e futuro são tudo a mesma coisa — replicou Merlin.

— O que é a Fonte? — perguntou o cavaleiro.

— É o poder misterioso e invisível do qual tudo se origina.

— Não compreendo — disse o cavaleiro.

— Você não compreende porque tenta compreender com a mente, mas a mente é limitada.

— Tenho uma mente muito boa — argumentou o cavaleiro.

— Além de muito esperta — acrescentou Merlin. — Ela o aprisionou nessa armadura toda.

O cavaleiro não pôde refutar isso. Então se lembrou de algo que Merlin lhe dissera assim que chegou:

— Você uma vez me disse que eu coloquei esta armadura porque tinha medo.

— E não é verdade? — replicou Merlin.

— Não, eu a vesti para me proteger, quando ia para a batalha.

— E você tinha medo de que fosse gravemente ferido ou morto — acrescentou Merlin.

— Não é disso que todo mundo tem medo?

Merlin balançou a cabeça:

— Quem foi que disse que você tinha de ir batalhar?

— Eu tinha de provar que era um cavaleiro bondoso, gentil e amoroso.

— Se você realmente *era* bondoso, gentil e amoroso, por que precisava provar isso? — perguntou Merlin.

O cavaleiro desistiu de pensar sobre isso, seguindo o hábito de fugir das coisas e entregou-se ao sono.

Na manhã seguinte, ele acordou com um estranho pensamento martelando em sua cabeça: seria possível que ele *não* fosse bondoso, gentil e amoroso? Decidiu perguntar a Merlin.

— O que *você* acha? — Merlin lhe devolveu a pergunta.

— Por que você sempre responde com outra pergunta?

— E por que você sempre busca nos outros as respostas às suas perguntas?

O cavaleiro saiu pisando firme, furioso, xingando Merlin com voz abafada.

— Esse Merlin! — resmungou ele. — Algumas vezes ele realmente me irrita!

Com um baque, o cavaleiro jogou seu pesado corpo sob uma árvore, para refletir sobre as perguntas do mago.

O que *ele* pensava? "Será", disse ele em voz alta para ninguém em particular, "que eu *não* sou bondoso, gentil e amoroso?"

— Pode ser — disse uma voz tênue. — Caso contrário, por que estaria sentado na minha cauda?

— O quê?

O cavaleiro olhou para o chão e percebeu um pequeno esquilo sentado ao seu lado. Isto é, ele podia ver a maior parte do corpo do esquilo. A cauda estava escondida.

— Oh, desculpe! — disse o cavaleiro, movendo rapidamente a perna para que o esquilo pudesse reaver a cauda. — Espero não o ter machucado. Não consigo enxergar muito bem com esta viseira na minha frente.

— Não tenho dúvida disso — replicou o esquilo, sem qualquer ressentimento na voz. — É por isso que você tem de ficar pedindo desculpas às pessoas depois de machucá-las.

— O que me irrita mais que um mago atrevido é um esquilo atrevido — resmungou o cavaleiro. — Eu não tenho de ficar aqui e falar com você.

Ele começou a pelejar contra o peso da armadura para tentar colocar-se em pé. Subitamente, espantado, ele deixou escapar:

— Ei... você e eu estamos conversando!

— Um tributo à minha boa natureza — replicou o esquilo —, considerando que você se sentou na minha cauda.

— Mas os animais não falam — disse o cavaleiro.

— Oh, com certeza falamos — replicou o esquilo. — As pessoas é que não escutam.

O cavaleiro balançou a cabeça, desnorteado.

— Você já falou comigo antes?

— Certamente, toda vez que eu quebrava uma noz e a enfiava através da sua viseira.

— Como é possível que eu esteja ouvindo você agora, se antes não ouvia?

— Admiro uma mente inquisitiva — comentou o esquilo —, mas será que você nunca aceita as coisas como elas são... simplesmente porque *é* assim?

— Você está respondendo às minhas perguntas com outras perguntas — disse o cavaleiro. — É tempo demais que você tem passado junto de Merlin.

— E você não tem estado junto dele tempo suficiente!

O esquilo chicoteou de leve o cavaleiro com a cauda e subiu ligeiro por uma árvore.

— Espere! Qual o seu nome? — perguntou o cavaleiro ao esquilo.

— Esquilo — respondeu ele muito simplesmente e desapareceu em meio aos galhos mais altos.

Surpreso, o cavaleiro balançou a cabeça. Será que tudo não passara de imaginação? Nesse momento, ele viu Merlin se aproximando.

— Merlin, *tenho* de ir embora daqui. Estou começando a falar com esquilos.

— Esplêndido — replicou o mago.

O cavaleiro parecia preocupado:

— O que você quer dizer com esplêndido?

— Apenas isso. Você está se tornando sensível o bastante para sentir as vibrações dos outros.

O cavaleiro estava obviamente confuso, então Merlin continuou a explicar:

— Você não falou com o esquilo em palavras, mas sentiu as vibrações dele e as transformou em palavras. Mal posso esperar o dia em que você começará a falar com as flores.

— Nesse dia você as plantará sobre a minha sepultura. Preciso cair fora desta floresta!

— Para onde iria?

— De volta até Juliet e Christopher. Eles estão sozinhos há muito tempo. Tenho de voltar e tomar conta deles.

— Como você pode tomar conta *deles* se não consegue nem tomar conta de *si mesmo*? — perguntou Merlin.

— Mas sinto falta deles — lamentou-se o cavaleiro. — Quero voltar para eles de qualquer maneira.

— E é exatamente assim que estará voltando se você for com essa armadura — advertiu o mago.

O cavaleiro olhou para Merlin com tristeza.

— Não quero esperar até retirar esta armadura. Quero voltar agora e ser um marido bondoso, gentil e amoroso para Juliet e um ótimo pai para Christopher.

Merlin balançou a cabeça compreensivamente. Em seguida disse ao cavaleiro que voltar para dar de si seria um adorável presente.

— Entretanto, um presente, para ser um presente, tem de ser aceito. Caso contrário, torna-se um obstáculo entre as pessoas — acrescentou o mago.

— Você quer dizer que eles podem não me querer de volta? — perguntou o cavaleiro, surpreso. — É claro que eles me dariam uma nova chance. Afinal de contas, *sou* um dos maiores cavaleiros do reino.

— Talvez essa armadura seja mais espessa do que parece — disse Merlin, gentilmente.

O cavaleiro refletiu sobre isso. Ele lembrou as intermináveis queixas de Juliet sobre suas constantes idas às batalhas, sobre a atenção que dispensava à armadura e sobre a viseira fechada e seu hábito de ir dormir para impedi-la de continuar falando. Talvez Juliet *não* o quisesse de volta, mas Christopher com certeza quereria.

— Por que não manda um bilhete para Christopher perguntando o que ele acha? — sugeriu Merlin.

O cavaleiro concordou que essa era uma boa ideia, mas como fazer o bilhete chegar até Christopher? Merlin apontou para o pombo empoleirado no seu ombro.

— Rebecca o levará.

O cavaleiro ficou intrigado.

— Ela não sabe onde eu moro. É apenas um pássaro idiota.

— Posso diferenciar norte de sul e leste de oeste — emendou Rebecca —, que é mais do que posso dizer de você.

O cavaleiro prontamente se desculpou. Ele estava completamente abalado. Não apenas tinha falado com um pombo e um esquilo, como os tinha deixado zangados, tudo no mesmo dia.

Por ser um pássaro com um coração generoso, Rebecca aceitou as desculpas do cavaleiro e alçou voo, levando no bico o bilhete que ele apressadamente escrevera para Christopher.

— Não arrulhe para pombos desconhecidos, ou você deixará o bilhete cair — gritou o cavaleiro para ela.

Rebecca ignorou essa insensata observação, compreendendo que o cavaleiro tinha muito o que aprender.

Uma semana se passou, e Rebecca ainda não havia retornado.

O cavaleiro estava ficando cada vez mais ansioso, temeroso de que ela tivesse se tornado presa de um dos falcões caçadores que ele e outros cavaleiros haviam treinado. Um tremor percorreu seu corpo, ao pensar em como pôde ter participado de esporte tão maldoso.

Quando Merlin terminou de tocar alaúde e cantar "Se você tem um coração pequeno e frio, seu inverno será longo e frio", o cavaleiro expressou sua preocupação com Rebecca.

Merlin tranquilizou o cavaleiro, criando um curto e alegre verso:

"Um pombo tão esperto e que voa tão bem nunca acabará cozido na panela de alguém."

Subitamente, um intenso palavreado brotou dentre os animais. Como todos eles estavam olhando para o céu, Merlin e o cavaleiro olharam também. Bem acima deles, circulando em busca de um lugar para pousar, eles viram Rebecca.

O cavaleiro pelejou para ficar em pé, justo quando Rebecca arremeteu até o ombro de Merlin. Tirando o bilhete de seu bico, o mago olhou-o de relance e disse solenemente ao cavaleiro que era da parte de Christopher.

— Deixe-me ver! — disse o cavaleiro, pegando ansiosamente o papel. Seu queixo caiu com um rangido, enquanto ele lia o bilhete sem acreditar no que via.

— Está em branco — exclamou ele. — O que significa isso?

— Significa — disse Merlin, suavemente — que seu filho não sabe bastante a seu respeito para lhe dar uma resposta.

O cavaleiro ficou ali parado por um tempo, atordoado. Depois soltou um gemido e caiu lentamente ao solo. Tentou conter as lágrimas, pois cavaleiros com armaduras brilhantes simplesmente não choravam. No entanto, sua tristeza logo o subjugou. Exausto e meio afogado pelas lágrimas dentro do seu elmo, o cavaleiro então adormeceu.

Capítulo Três

O CAMINHO DA VERDADE

Quando o cavaleiro acordou, Merlin estava sentado em silêncio ao seu lado.

— Desculpe por ter agido de maneira tão pouco gentil — disse o cavaleiro. — Minha barba ficou toda encharcada — acrescentou ele, desgostoso.

— Não precisa se desculpar — disse Merlin. — Você acaba de dar o primeiro passo para sair dessa armadura.

— O que você quer dizer?

— Você verá — replicou o mago. Em seguida, levantou-se. — Está na hora de você partir.

Isso deixou o cavaleiro perturbado. Ele estava gostando da vida na floresta com Merlin e com os animais. Além disso, parecia não ter nenhum lugar para ir. Juliet e Christopher aparentemente não queriam que ele voltasse para casa. É verdade que poderia retomar as atividades de cavaleiro e participar de algumas cruzadas. Ele tinha uma boa reputação, e havia diversos soberanos que ficariam felizes em tê-lo ao seu lado, mas lutar parecia não ter mais propósito nenhum.

Merlin lembrou o cavaleiro de seu *novo* propósito: livrar-se da armadura.

— Por que me importar? — perguntou o cavaleiro morosamente. — Para Juliet e Christopher não faz diferença se eu retirar ou não esta armadura.

— Pense em você mesmo — sugeriu Merlin. — Ter ficado preso em todo esse aço lhe causou um monte de problemas, e sua situação só irá piorar com o passar do tempo. Você pode até vir a morrer de algo como uma pneumonia decorrente de uma barba encharcada.

— Acho que minha armadura se tornou *sim* um estorvo — replicou o cavaleiro. — Estou cansado de arrastá-la de um lado para o outro, e não aguento mais comer purê de comida. E, pensando bem, não consigo nem coçar minhas costas quando tenho vontade.

— E quanto tempo faz que você sentiu pela última vez o calor de um beijo, a fragrância de uma flor, ou ouviu o som de uma melodia bonita, sem que essa armadura se interpusesse no caminho?

— Nem me lembro — resmungou o cavaleiro, triste. — Você está certo, Merlin. Tenho de retirar esta armadura para *mim mesmo*.

— Você não pode continuar a viver e a pensar como fazia no passado — continuou Merlin. — Essa é a principal razão por que ficou encarcerado nessa prisão de aço.

— Mas como conseguirei mudar tudo isso? — perguntou o cavaleiro, inquieto.

— Não é tão difícil como pode parecer — explicou Merlin, conduzindo o cavaleiro até uma trilha. — Este foi o caminho que você percorreu para chegar a esta floresta.

— Não percorri nenhum caminho — disse o cavaleiro. — Estive perdido durante meses!

— É comum as pessoas não terem consciência do caminho que estão seguindo — replicou Merlin.

— Você quer dizer que este caminho estava aqui, mas eu não conseguia vê-lo?

— Sim, e você pode voltar por ele, se quiser, mas ele conduz à desonestidade, ganância, ódio, ciúme, medo e ignorância.

— Você está dizendo que eu sou todas essas coisas? — perguntou o cavaleiro, indignado.

— Às vezes, você é alguma delas — admitiu Merlin.

O mago então apontou para outra trilha. Ela era mais estreita que a primeira e bastante íngreme.

— Parece uma subida árdua — observou o cavaleiro.

Merlin concordou com a cabeça:

— Este — disse ele — é o Caminho da Verdade. Ele torna-se mais íngreme à medida que se aproxima do cume de uma montanha que fica lá longe.

O cavaleiro olhou para aquela trilha escarpada, sem entusiasmo.

— Não sei se vale a pena. O que vou ganhar quando atingir o topo?

— Trata-se do que você vai *perder* — explicou Merlin. — A armadura!

O cavaleiro ponderou sobre isso. Se retornasse pelo caminho que tinha percorrido antes, não havia esperança de remover a armadura, e ele provavelmente morreria de solidão e fadiga. Parecia que a única maneira de se livrar da armadura era seguir pelo Caminho da Verdade, mas assim ele poderia morrer, tentando escalar aquela encosta tão íngreme.

⊕

O cavaleiro olhou para o difícil caminho à frente. Depois olhou para o aço que cobria seu corpo.

— Está bem — disse ele, resignado. — Tentarei o Caminho da Verdade.

Merlin assentiu.

— A decisão de seguir por uma trilha desconhecida com essa armadura pesada atravancando o seu caminho requer muita coragem — destacou o mago.

O cavaleiro sabia que era melhor começar imediatamente ou corria o risco de mudar de ideia.

— Vou pegar o meu fiel cavalo — disse ele.

— Oh, não — falou Merlin, balançando a cabeça. — Há trechos no caminho que são estreitos demais para um cavalo passar. Você terá de ir a pé.

Perplexo, o cavaleiro se estatelou sobre uma pedra.

— Acho que prefiro morrer com a barba encharcada — disse ele, com sua coragem esvanecendo rapidamente.

— Você não viajará sozinho — explicou Merlin. — Esquilo o acompanhará.

— O que você espera que eu faça, que monte nas costas do esquilo? — perguntou o cavaleiro, temeroso só de pensar em fazer aquela árdua viagem com um animal de fala esperta.

— Talvez você não possa montar em mim — disse Esquilo —, mas vai precisar de mim para ajudá-lo a comer. Quem mais vai mastigar nozes para você e empurrá-las através da viseira?

Rebecca, que ouvira a conversa de uma árvore próxima, sobrevoou o cavaleiro e pousou no seu ombro.

— Também vou com você. Já estive no topo da montanha e sei o caminho — disse ela.

A disposição dos dois animais em ajudar conferiu ao cavaleiro a coragem de que ele necessitava.

"Bem, não é que isso é incrível?", ele disse a si mesmo, "um dos cavaleiros de elite do reino precisando ser encorajado por um esquilo e um pássaro!". Ele fez um esforço para ficar em pé, sinalizando a Merlin que estava pronto para começar sua viagem.

Enquanto caminhavam em direção à trilha, o mago pegou uma magnífica chave dourada que estava em seu pescoço e entregou-a ao cavaleiro.

— Esta chave abrirá as portas dos três castelos que bloquearão seu caminho.

— Eu sei! — gritou o cavaleiro impulsivamente. — Haverá uma princesa em cada castelo, e eu matarei o dragão que a mantém cativa e a salvarei...

— Basta! — interrompeu Merlin. — Não haverá princesas em nenhum desses castelos. Mesmo se houvesse, você agora não tem a menor condição de resgatar quem quer que seja. Você tem de aprender a se salvar primeiro.

Repreendido dessa forma, o cavaleiro calou-se e Merlin continuou:

— O primeiro castelo chama-se Silêncio; o segundo, Conhecimento; e o terceiro, Vontade e Ousadia. Após entrar neles, você encontrará a saída somente depois de ter aprendido o que está lá para você aprender.

Do ponto de vista do cavaleiro, isso não parecia ter graça nenhuma comparado com salvar princesas. Além disso, no momento, visitas a castelos realmente não o atraíam muito.

— Por que não posso simplesmente contornar os castelos? — perguntou ele, amuado.

— Se fizer isso, você extraviar-se-á do caminho e com certeza se perderá. O único meio de chegar ao topo da montanha é atravessando esses castelos — disse Merlin com firmeza.

O cavaleiro suspirou profundamente, enquanto mantinha o olhar fixo na trilha estreita e íngreme à sua frente. Ela desaparecia entre altas árvores que se destacavam contra um agrupamento de nuvens baixas. Pressentiu que essa jornada seria muito mais difícil do que uma cruzada.

Merlin sabia o que o cavaleiro estava pensando.

— Sim — concordou ele —, há uma outra batalha a ser travada no Caminho da Verdade. A luta será aprender a amar a si mesmo.

— Como farei isso? — perguntou o cavaleiro.

— Para começar, você tem de aprender a se conhecer — respondeu Merlin. — Essa batalha não pode ser vencida com sua espada, portanto você pode deixá-la aqui.

O olhar gentil de Merlin pousou sobre o cavaleiro por um instante. Depois ele acrescentou:

— Se você encontrar algo com que não consiga lidar, basta me chamar que eu irei.

— Você quer dizer que pode aparecer em qualquer lugar que eu esteja?

— Qualquer mago de respeito pode fazer isso — respondeu Merlin e, em seguida, desapareceu.

O cavaleiro estava assombrado:

— Ora... ora, ele sumiu!

Esquilo concordou:

— Algumas vezes ele faz mesmo coisas do arco da velha!

— Vocês vão desperdiçar toda a energia falando — Rebecca os repreendeu. — Vamos em frente.

O elmo do cavaleiro rangeu, enquanto ele assentia com a cabeça. Eles começaram a marcha com Esquilo na frente e o cavaleiro, com Rebecca no ombro, atrás. De tempos em tempos, Rebecca voava em missões de reconhecimento e voltava para relatar o que vira.

Após algumas horas, o cavaleiro desmoronou, exausto e dolorido. Não estava acostumado a viajar de armadura sem estar montado no cavalo. Como já estava quase escuro, Rebecca e Esquilo decidiram que poderiam parar ali para passar a noite.

Rebecca voou entre os arbustos e voltou com alguns frutos, que empurrou através dos orifícios da viseira do cavaleiro. Esquilo foi até um riacho próximo e encheu algumas cascas de nozes com água, que o cavaleiro bebeu por meio do canudo que Merlin lhe dera. Cansado demais para permanecer acordado e esperar as nozes que Esquilo ainda preparava, o cavaleiro adormeceu.

Ele foi acordado na manhã seguinte pelo brilho do sol. Desacostumado com a luminosidade ofuscante, ele semicerrou os olhos. Nunca antes sua viseira havia permitido a passagem de tanta luz. Tentava compreender esse fenômeno, quando percebeu que Rebecca e Esquilo olhavam para ele, tagarelando e murmurando, agitados. Empurrando o corpo até se sentar, subitamente se deu conta de que conseguia ver mais do que no dia anterior, e podia sentir o frescor do ar de encontro ao seu rosto. Parte da viseira havia se rompido e caíra! "Como isso aconteceu?", ele ficou pensando.

Esquilo respondeu à sua pergunta não verbalizada.

— Esse pedaço enferrujou e se desprendeu.

— Mas como? — perguntou o cavaleiro

— Por causa das lágrimas do seu pranto, depois que você viu a carta em branco do seu filho.

O cavaleiro refletiu sobre isso. A tristeza que ele sentira fora tão profunda que a armadura não pôde protegê-lo dela. Muito pelo contrário, suas lágrimas haviam começado a romper o aço que o circundava.

— É isso! — exclamou ele. — Lágrimas de sentimentos reais me libertarão desta armadura!

Ele colocou-se em pé tão rápido como há muitos anos não fazia.

— Esquilo! Rebecca! — gritou ele. — É realidade! Vamos seguir o Caminho da Verdade!

Rebecca e Esquilo estavam tão deleitados com o que estava ocorrendo ao cavaleiro que nenhum deles mencionou que aquela rima tinha sido terrível.

Os três continuaram montanha acima. Era um dia particularmente agradável para o cavaleiro. Ele percebia as minúsculas partículas iluminadas de sol que atravessavam os galhos das árvores. Olhou de perto o rosto de alguns tordos e viu que não eram todos iguais. Ele falou isso para Rebecca, que não parava de dar saltos, murmurando alegremente.

— Você está começando a perceber as diferenças em outras formas de vida, porque está começando a perceber as diferenças no seu interior.

O cavaleiro tentou entender o que exatamente Rebecca queria dizer com isso. Mas era orgulhoso demais para perguntar, pois ainda pensava que um cavaleiro deveria ser mais inteligente que um pombo.

Nesse exato momento, Esquilo, que fora fazer um reconhecimento da estrada mais adiante, voltava numa carreira.

— O Castelo do Silêncio fica logo depois da próxima subida.

Excitado com a perspectiva de ver o castelo, o cavaleiro seguiu ainda mais rápido. Quando alcançou o alto da colina, já estava quase sem ar. Era verdade, um castelo emergia à frente bloqueando completamente o caminho. O cavaleiro confessou a Esquilo e a Rebecca que estava desapontado. Esperava uma extravagante estrutura. Em vez disso, o Castelo do Silêncio parecia com qualquer outro castelo da região.

Rebecca riu e disse:

— Quando você aprender a *aceitar* em vez de *ter expectativas*, seus desapontamentos serão menores.

O cavaleiro acenou com a cabeça, sinalizando que concordava com a sabedoria contida naquelas palavras.

— Passei a maior parte da minha vida sofrendo desapontamentos. Lembro-me de estar deitado no berço pensando que era o bebê mais bonito do mundo. Então, minha governanta olhou para mim e disse que eu tinha um rosto que somente uma mãe poderia amar. Acabei desapontado comigo por ser feio ao invés de bonito e desapontado com a governanta por ela ser tão rude.

— Se tivesse aceitado de verdade que era bonito, o que ela disse não teria tido importância.

Você não teria ficado desapontado — explicou Esquilo.

Isso fazia sentido para o cavaleiro.

— Estou começando a achar que os animais são mais inteligentes do que os homens.

— O fato de poder dizer isso faz de você um ser tão inteligente quanto nós — replicou Esquilo.

— Não acho que isso tenha a ver com ser inteligente — disse Rebecca. — Os animais *aceitam*, e os seres humanos *têm expectativas*. Você nunca ouvirá um coelho dizer "Espero que o sol apareça de manhã para eu poder ir até o lago brincar". Se o sol não aparecer, isso não estragará o dia do coelho. Ele simplesmente é feliz sendo um coelho.

O cavaleiro refletiu sobre isso. Ele não conseguia se lembrar de muitas pessoas que eram felizes simplesmente sendo pessoas.

Logo chegaram à porta de um imenso castelo. O cavaleiro tirou a chave dourada do pescoço e encaixou-a na fechadura. Enquanto abria a porta, Rebecca sussurrou:

— Nós não vamos entrar com você.

O cavaleiro, que estava aprendendo a amar e a confiar nos dois animais, ficou desapontado porque eles não iriam acompanhá-lo. Ele quase mencionou isso, mas se conteve a tempo. Novamente, estava tendo expectativas.

Os animais sabiam que o cavaleiro hesitava em entrar no castelo.

— Podemos levá-lo até a porta — disse Esquilo —, mas você tem de entrar sozinho.

Quando Rebecca saiu voando, ela bradou para incentivá-lo:

— Nós o encontraremos do outro lado.

Capítulo Quatro
O CASTELO DO SILÊNCIO

Sozinho, o cavaleiro cautelosamente enfiou a cabeça pela porta de entrada do castelo. Seus joelhos tremiam um pouco, o que, por causa da armadura, provocava um leve som metálico de chocalho. Temendo que Rebecca pudesse vê-lo, sem querer parecer um fracote a uma pomba, juntou forças e coragem e entrou, fechando a porta atrás de si.

Por um instante, desejou não ter deixado a espada, mas Merlin lhe prometera que não haveria dragões para matar, e o cavaleiro confiava no mago.

Ele adentrou a imensa antessala do castelo e olhou à sua volta. Viu apenas o fogo que fulgurava na enorme lareira de pedras situada em uma das paredes e três tapetes no chão. Sentou-se sobre o tapete mais próximo do fogo.

O cavaleiro logo tomou consciência de duas coisas: primeiro, parecia não haver nenhuma porta na sala que levasse a outras partes do castelo. Segundo, o silêncio que fazia nesse castelo era extraordinário, misterioso. Ele percebeu com um sobressalto que o fogo nem mesmo crepitava. O cavaleiro considerava o próprio castelo silencioso, principalmente naquelas épocas em que Juliet passava dias seguidos sem falar com ele, mas o silêncio ali era incomparável. "O Castelo do Silêncio foi bem nomeado", ele pensou. Nunca em sua vida se sentira tão sozinho.

Subitamente, o cavaleiro foi surpreendido pelo som de uma voz familiar vinda de trás dele.

— Olá, cavaleiro.

O cavaleiro se virou e ficou espantado ao ver o rei se aproximando dele, vindo de um canto mais afastado da sala.

— Rei! — disse ele, ofegante. — Não o tinha percebido. O que o senhor faz aqui?

— O mesmo que você, cavaleiro, procurando a porta.

O cavaleiro olhou à volta novamente.

— Não vejo porta nenhuma.

— Não é possível ver, até que se compreenda — explicou o rei. — Quando você compreender o que há nesta sala, será capaz de ver a porta que conduz à sala seguinte.

— Sinceramente, espero que sim, rei — disse o cavaleiro. — Estou surpreso de vê-lo aqui. Ouvi falar que o senhor estava numa cruzada.

— É isso que eu digo sempre que viajo pelo Caminho da Verdade — explicou o rei. — É mais fácil para meus súditos entenderem.

O cavaleiro parecia intrigado.

— Todos entendem as cruzadas — disse o rei —, mas muito poucos entendem a verdade.

— Sim — concordou o cavaleiro. — Eu mesmo não estaria neste caminho, se não estivesse aprisionado nesta armadura.

— A maioria de nós está aprisionada no interior de uma armadura — declarou o rei.

— O que o senhor quer dizer? — perguntou o cavaleiro.

— Nós levantamos barreiras para proteger quem pensamos ser. Então um dia ficamos presos atrás dessas barreiras e não conseguimos mais sair.

— Nunca pensei que fosse um ser aprisionado, rei. O senhor é tão sábio — disse o cavaleiro.

O rei riu, pesaroso.

— Tenho sabedoria suficiente para compreender quando estou aprisionado e retornar aqui, para aprender mais sobre mim.

O cavaleiro sentia-se imensamente encorajado, pensando que o rei talvez pudesse lhe mostrar o caminho.

— Diga — disse o cavaleiro, seu rosto se iluminando —, será que não podemos atravessar juntos o castelo? Assim não estaremos tão sozinhos.

O rei balançou a cabeça, dizendo:

— Certa vez, tentei isso. É verdade que meus companheiros e eu não estávamos sozinhos, porque falávamos constantemente, mas, quando se fala, é impossível ver a porta para sair desta sala.

— Talvez pudéssemos apenas andar juntos em silêncio — sugeriu o cavaleiro. Não lhe agradava pensar que teria de vagar sozinho pelo Castelo do Silêncio.

O rei balançou a cabeça novamente, desta vez com mais força.

— Não, já tentei isso também. O vazio se tornou menos doloroso, mas ainda assim eu não conseguia ver a porta para sair desta sala.

O cavaleiro protestou:

— Mas se o senhor não estava falando...

— Ficar em silêncio significa mais do que não falar — disse o rei. — Descobri que, quando estava com alguém, mostrava apenas a minha melhor imagem. Não deixava as barreiras cederem e não permitia que nem eu nem a outra pessoa víssemos o que eu estava tentando esconder.

— Eu não compreendo — disse o cavaleiro.

— Você compreenderá — replicou o rei. — Depois de permanecer aqui por um tempo suficiente. É preciso ficar sozinho para deixar a armadura cair.

O cavaleiro ficou desanimado:

— Não quero ficar aqui sozinho! — exclamou ele, batendo o pé enfaticamente e, sem perceber, pisando no dedão do pé do rei.

O rei berrou de dor e deu saltos, pulando em círculo. O cavaleiro estava horrorizado! Primeiro o ferreiro; agora o rei.

— Perdão, senhor — disse o cavaleiro, desculpando-se.

O rei esfregou o dedão delicadamente.

— Tudo bem. Essa armadura dói mais em você do que em mim. — Então, aprumando-se, deu um olhar compreensivo para o cavaleiro. — Entendo que você não queira ficar neste castelo sozinho. Eu também não queria, quando comecei a vir até aqui, mas agora compreendo que o que se tem para fazer aqui deve ser feito sozinho. — Dito isso, ele saiu mancando pelo aposento e acrescentou: — Preciso seguir meu caminho, agora.

Perplexo, o cavaleiro perguntou:

— Aonde o senhor vai? A porta fica aqui.

— Essa porta é apenas uma entrada. A porta para a sala seguinte fica na parede afastada. Assim que você entrou, eu finalmente consegui vê-la — disse o rei.

— O que quer dizer com finalmente consegui vê-la? Não lembrava onde ela ficava, das outras vezes em que esteve aqui? — perguntou o cavaleiro, pensando por que o rei se daria ao trabalho de continuar voltando.

— A viagem pelo Caminho da Verdade nunca termina. Cada vez que volto aqui encontro novas portas, enquanto minha compreensão se expande gradativamente. — O rei acenou. — Seja bom consigo, meu amigo.

— Espere! Por favor! — gritou o cavaleiro.

O rei olhou de novo para ele, compassivamente:

— O que é?

O cavaleiro sabia muito bem que não conseguiria fazer o rei mudar de ideia.

— Existe algum conselho que o senhor poderia me dar antes de ir embora?

O rei pensou por um momento e disse em seguida:

— Este é um novo tipo de cruzada para você, caro cavaleiro, uma que requer mais coragem do que todas as outras batalhas que você já enfrentou antes. Se conseguir mobilizar a força necessária para ficar aqui e fazer o que tem de fazer, esta será sua maior vitória.

Dito isso, o rei se virou e esticou o braço, como se fosse abrir uma porta. Em seguida, desapareceu parede adentro, deixando o cavaleiro com um olhar incrédulo em sua direção.

O cavaleiro correu até onde o rei estivera, esperando que, de perto, também pudesse ver a porta. Deparando-se com o que parecia ser apenas uma parede sólida, ele começou a caminhar em redor da sala. Tudo o que podia ouvir era o som de sua armadura ecoando pelo castelo.

Depois de algum tempo, sentiu-se deprimido como nunca antes em sua vida. Para se animar, cantarolou duas estimulantes canções de batalha: "Estarei lá para pegá-la numa cruzada, meu amor" e "onde penduro meu elmo é meu lar". Ele as cantou vezes e vezes seguidas.

Conforme sentia sua voz ficando cansada, percebia que a quietude tornava seu canto inaudível, envolvendo-o num silêncio total e devastador. Somente então, o cavaleiro pôde realmente admitir algo que nunca tinha reconhecido antes: tinha medo de ficar sozinho.

Naquele instante, ele viu uma porta na parede mais afastada da sala. Então caminhou até ela, abriu-a lentamente e entrou em outro aposento, que se parecia muito com o anterior, exceto por ser um tanto menor, e também era destituído de qualquer sonoridade.

Para passar o tempo, o cavaleiro começou a falar alto consigo mesmo. Ele dizia qualquer coisa que passasse pela sua cabeça. Falou sobre como era quando criança e sobre como era diferente dos outros meninos que conhecia. Enquanto esses caçavam codornizes e brincavam de "pregar a cauda no javali", ele ficava lendo dentro de casa. Como os livros eram escritos à mão pelos monges, não havia muitos deles, e ele logo os tinha lido todos. Foi então que começou a falar impulsivamente com qualquer pessoa que encontrava pela frente. Quando não havia ninguém para conversar, conversava sozinho — exatamente como estava fazendo neste momento. Inesperadamente, pegou-se dizendo que tinha falado tanto a vida inteira para evitar se sentir sozinho.

O cavaleiro refletiu bastante sobre isso até que o som de sua própria voz quebrou o silêncio desalentador:

— Acho que *sempre* tive medo de ficar sozinho.

Quando disse essas palavras, uma outra porta apareceu. O cavaleiro a abriu e entrou na sala seguinte. Era menor que a anterior.

Ele se sentou no chão e continuou a pensar. Logo irrompeu em sua mente que, durante toda a sua vida, perdera tempo falando sobre o que tinha feito e o que iria fazer. Nunca desfrutara o que estava realmente acontecendo. E assim uma outra porta apareceu. Ela conduzia a uma sala ainda menor do que as outras.

Incentivado pelo próprio progresso, o cavaleiro fez algo que nunca havia feito antes. Sentou-se tranquilamente e *ouviu* o silêncio. Ocorreu-lhe que, na maior parte de sua vida, nunca tinha de fato ouvido alguém ou alguma coisa. O sussurro do vento, o tamborilar da chuva e o som da água nos córregos com certeza sempre estiveram presentes, mas ele nunca os *ouvira* de fato. Também não ouvira Juliet, quando ela tentava lhe dizer como se sentia — especialmente quando ela estava triste. Isso lembrava ao cavaleiro que ele estava triste também. Na verdade, uma das razões por que passara a deixar a armadura no corpo o tempo todo era que ela abafava o som da voz triste de Juliet. Tudo que tinha de fazer era abaixar a viseira, e com isso conseguia fazê-la se calar.

Juliet devia se sentir muito solitária falando com um homem revestido de aço — tão sozinha quanto ele se sentiu sentado nessa sala que parecia um túmulo. Sua dor e sua solidão emergiram. Logo sentiu também a dor e a solidão de Juliet. Anos a fio, ele a forçara a viver em um castelo de silêncio. Começou a chorar.

O cavaleiro chorou durante tanto tempo que as lágrimas transbordaram dos orifícios de sua viseira e encharcaram o tapete onde se sentara. As lágrimas fluíram até a lareira e extinguiram o fogo. De fato, a sala inteira estava começando a inundar e se, naquele momento, uma outra porta não tivesse surgido na parede, o cavaleiro poderia ter se afogado.

Embora estivesse exausto por causa do dilúvio, ele forçou caminho até a porta, abriu-a e entrou em uma sala que não era muito maior do que o estábulo onde uma vez abrigara seu cavalo.

— Por que será que essas salas vão se tornando cada vez menores? — ele se perguntou, em voz alta.

Uma voz respondeu:

— Porque você está fechando o cerco sobre si mesmo.

Assustado, o cavaleiro olhou à sua volta. Ele estava sozinho — ou pelo menos pensava que estava. Quem tinha falado?

— *Você* falou — disse a voz, respondendo ao seu pensamento.

A voz parecia vir de dentro dele. Seria possível?

— Sim, é *possível* — respondeu a voz. — Sou o seu eu *verdadeiro*.

— Mas *eu sou* o meu eu verdadeiro — protestou o cavaleiro.

— Olhe para si mesmo — disse a voz com uma ponta de desgosto —, sentado aí meio morto de fome, envolto nessa sucata com uma viseira enferrujada e ostentando uma barba ensopada. Se *você* é o seu eu verdadeiro, ambos estamos encrencados!

— Agora preste atenção — disse o cavaleiro —, vivi todos esses anos sem ouvir uma única palavra sua. Agora que ouço, a primeira coisa que diz é que *você* é o meu eu verdadeiro. Por que não se manifestou antes?

— Tenho estado por perto há anos — replicou a voz —, mas esta é a primeira vez que você fica quieto o bastante para me escutar.

O cavaleiro estava confuso.

— Se você é meu *eu* verdadeiro, então, diga-me, por favor, quem sou *eu*?

A voz respondeu gentilmente:

— Você não pode achar que vai aprender tudo de uma vez. Por que não dorme um pouco?

— Está bem — concordou o cavaleiro —, mas antes de dormir quero saber como devo chamá-lo.

— Chamar-me? — perguntou a voz, surpresa. — Ora, eu sou *você*.

— Não posso chamar você de *eu*. Isso me deixaria confuso.

— Tudo bem. Me chame de Sam.

— Por que Sam? — perguntou o cavaleiro.

— Por que não? — veio a resposta.

— Você deve conhecer Merlin — disse o cavaleiro, a cabeça começando a inclinar de cansaço. Então seus olhos se fecharam, enquanto ele mergulhava num sono profundo e sossegado.

Ao acordar, o cavaleiro não sabia onde estava. Estava apenas cônscio de si mesmo. O restante do mundo parecia ter desaparecido. Apenas quando já estava plenamente desperto foi que percebeu que Esquilo e Rebecca estavam sentados sobre seu peito.

— Como vocês entraram aqui? — perguntou ele.

— Não estamos *lá* dentro — disse Esquilo sorrindo.

— Você está *aqui* fora — arrulhou Rebecca.

O cavaleiro arregalou os olhos e sentou-se. Ele observou a paisagem, admirado. Sem dúvida, ele estava no Caminho da Verdade, bem do outro lado do Castelo do Silêncio.

— Como foi que saí de lá? — perguntou ele.

Rebecca respondeu:

— Da única maneira possível. Você concebeu a sua saída.

— A última coisa que lembro — disse o cavaleiro — era que estava falando com... — Ele se deteve. Queria contar para Esquilo e Rebecca a respeito de Sam, mas não era fácil explicar. Além disso, tudo poderia não ter passado de imaginação. Havia muito sobre o que refletir. O cavaleiro esticou o braço para coçar a cabeça, e precisou de algum tempo para perceber que, na verdade, estava coçando a própria pele. Ele levou ambas as manoplas à cabeça. O elmo havia se desprendido! Tocou a face e sua longa barba descuidada.

— Esquilo! Rebecca! — gritou ele.

— Nós sabemos — disseram eles alegremente, em uníssono. — Você deve ter chorado de novo no Castelo do Silêncio.

— Chorei, sim — confirmou o cavaleiro. — Mas como é possível que um elmo inteiro se corroa da noite para o dia?

Os animais riram muito. Rebecca ficou ofegante, dando pinotes pelo chão. O cavaleiro achou que ela ia acabar saindo do corpo. Exigiu que lhe contassem o que era assim tão engraçado.

Esquilo foi o primeiro a recuperar o fôlego:

— Você não passou apenas uma noite no castelo.

— Então, quanto tempo se passou?

— E se eu lhe dissesse que, enquanto você estava lá dentro, poderia ter facilmente juntado mais de cinco mil nozes?

— Eu diria que *você é* louco! — exclamou o cavaleiro.

— Você *permaneceu* no castelo por muito, muito tempo — afirmou Rebecca.

O cavaleiro estava boquiaberto, incrédulo. Olhou para o céu e, com a voz estrondosa, disse:

— Merlin, preciso falar com você.

Como prometera, o mago apareceu imediatamente. Estava nu, exceto pela longa barba, e pingava de tão molhado. Aparentemente, o cavaleiro pegara Merlin tomando banho.

— Perdoe-me por essa intrusão — disse o cavaleiro —, mas trata-se de uma emergência. Eu...

— Não faz mal — disse Merlin, interrompendo-o. — Os magos acabam se acostumando com essas inconveniências.

Ele sacudiu a barba para tirar a água.

— Para responder à sua pergunta, devo dizer que é verdade. Você *permaneceu* no Castelo do Silêncio por um longo tempo.

Merlin nunca deixava de surpreender o cavaleiro.

— Como você sabia que eu queria perguntar isso?

— Como me conheço, posso conhecer você. Somos todos parte um do outro — respondeu o mago.

O cavaleiro refletiu um segundo:

— Começo a entender. Eu pude sentir a dor de Juliet porque sou parte dela?

— Sim — respondeu Merlin. — Foi por isso que você pôde chorar por ela e também por você. Essa foi a primeira vez que você derramou lágrimas por outra pessoa.

O cavaleiro disse ao mago que se sentia orgulhoso. O mago sorriu, com indulgência.

— Não temos de sentir orgulho por sermos humanos. Isso é tão sem sentido quanto seria para Rebecca sentir orgulho por poder voar. Rebecca nasceu com asas. Você nasceu com um coração e agora o está usando, simplesmente como deveria fazê-lo.

— Você sabe mesmo como fazer para colocar um sujeito para baixo, Merlin — disse o cavaleiro.

— Não quis ser duro com você. Você está indo muito bem, caso contrário nunca teria encontrado Sam.

O cavaleiro sentiu-se aliviado:

— Então eu *realmente* o ouvi? Não foi apenas fruto da minha imaginação?

Merlin achou graça:

— Não, Sam é *real*. Na verdade, um eu mais verdadeiro do que aquele que você tem chamado de *eu* durante todos esses anos. Você não está ficando maluco. Apenas está começando a escutar seu verdadeiro eu. Foi por isso que o tempo passou tão rápido, sem que você percebesse.

— Não compreendo — disse o cavaleiro.

— Você compreenderá, depois que passar pelo Castelo do Conhecimento.

Então, antes que o cavaleiro pudesse fazer mais perguntas, Merlin desapareceu.

Capítulo Cinco

O CASTELO DO CONHECIMENTO

O cavaleiro, Esquilo e Rebecca recomeçaram a caminhada pelo Caminho da Verdade, em direção ao Castelo do Conhecimento. Eles pararam apenas duas vezes naquele dia, uma para comer e outra para o cavaleiro raspar sua barba descuidada e cortar seu longo cabelo com a borda afiada de sua manopla. Ele parecia e se sentia muito melhor depois que isso foi feito, e estava mais livre agora do que estivera antes. Sem o elmo, podia comer nozes sem precisar da ajuda de Esquilo. Embora tivesse apreciado a técnica salva-vidas, ele não a considerava realmente uma forma graciosa de viver. Também podia se alimentar com as frutas e raízes com que tinha se acostumado. Nunca mais comeria pombos ou qualquer outra ave ou carne outra vez, porque compreendeu que fazer isso seria literalmente ter amigos para jantar.

Pouco antes do cair da noite, o trio arrastou-se morro acima e contemplou o Castelo do Conhecimento a distância. Ele era maior do que o Castelo do Silêncio, e sua porta era feita de ouro maciço. Esse era o maior castelo que o cavaleiro já tinha visto, maior ainda do que aquele que o rei havia construído para si. O cavaleiro olhou fixamente para a impressionante estrutura, curioso por saber quem a teria projetado.

Naquele exato momento, seus pensamentos foram interrompidos pela voz de Sam:

— O Castelo do Conhecimento foi projetado pelo próprio universo, a fonte de todo conhecimento.

O cavaleiro ficou surpreso, mas feliz de ouvir Sam novamente.

— Estou contente por você ter voltado — disse ele.

— Na verdade, nunca fui embora — replicou Sam. — Lembre-se de que eu sou *você*.

— Por favor, não quero passar por isso de novo. Como estou agora que fiz a barba e cortei o cabelo?

— É a primeira vez que você tirou vantagem de ser encurtado — respondeu Sam.

O cavaleiro riu da brincadeira de Sam. Ele apreciava seu senso de humor. Se houvesse qualquer semelhança entre o Castelo do Conhecimento e o Castelo do Silêncio, ele ficaria feliz em ter Sam como companhia.

O cavaleiro, Esquilo e Rebecca cruzaram a ponte levadiça sobre o fosso que circundava o castelo e pararam diante da porta de ouro. O cavaleiro retirou a chave de seu pescoço e girou-a na fechadura. Enquanto empurrava a porta, ele perguntou a Rebecca e Esquilo se eles o deixariam como haviam feito antes.

— Não — respondeu Rebecca. — O silêncio é para um; o conhecimento, para todos.

O cavaleiro ficou pensando como a palavra *pombo** veio a significar alguém crédulo, fácil de enganar.

Os três atravessaram a porta e se depararam com uma escuridão tão densa que o cavaleiro não conseguia enxergar a própria mão. Ele tateou em busca das costumeiras tochas que ficavam junto à porta de entrada dos castelos para iluminar o caminho, mas não havia nenhuma. Um castelo com uma porta de ouro e sem tochas?

---

* Do inglês *pigeon*, substantivo que significa pombo. Pode também ser gíria, e, neste caso, refere-se a alguém trouxa, otário. (N. do T.)

— Até os castelos simples da região têm tochas — resmungou o cavaleiro, enquanto Esquilo o chamava. O cavaleiro dirigiu-se cuidadosamente até ele e o viu apontando para uma inscrição que brilhava na parede. Estava escrito:

O conhecimento é a luz através da qual você encontrará seu caminho.

"Preferia estar com uma tocha", pensou o cavaleiro, "mas, seja quem for que administra este castelo, sem dúvida encontrou um meio engenhoso de diminuir o consumo de luz."

Sam falou sem rodeios:

— Isso significa que, quanto mais você sabe, mais luminoso ficará aqui dentro.

— Sam, apostarei que você está certo! — exclamou o cavaleiro. E um vislumbre de luz tremeluziu na sala.

Nesse momento, Esquilo chamou novamente o cavaleiro. Ele havia encontrado uma outra inscrição que brilhava entalhada na parede:

Será que você não confundiu necessidade com amor?

Ainda perturbado, o cavaleiro resmungou:

— Suponho que tenho de descobrir a resposta, antes de conseguir alguma luminosidade a mais.

— Você está pegando rápido — replicou Sam.

O cavaleiro resfolegou:

— Não tenho tempo para brincar de Perguntas e Respostas. Quero encontrar rápido meu caminho por este castelo, para poder chegar ao topo da montanha!

— Talvez o que você tenha a aprender aqui é que você tem todo o tempo do mundo — sugeriu Rebecca.

O cavaleiro não estava com um humor receptivo nem disposto a ouvir a filosofia da pomba. Por um momento, considerou mergulhar na escuridão do castelo e andar a esmo. A escuridão, no entanto, era totalmente impeditiva, e, sem sua espada, ele tinha medo. Parecia-lhe que a única escolha que tinha era descobrir qual o significado da inscrição. Suspirou e sentou-se diante dela. Leu-a novamente:

Será que você não confundiu necessidade com amor?

O cavaleiro sabia que amava Juliet e Christopher, embora tivesse de admitir que, antes de Juliet começar a ficar debaixo de tonéis de vinho para esvaziar o conteúdo deles boca abaixo, ele a amava mais.

Sam disse:

— Sim, você *amava* Juliet e Christopher, mas não *necessitava* deles também?

— Penso que sim — concordou o cavaleiro. Ele necessitara de toda a beleza que Juliet acrescentara à sua vida, com seu juízo aguçado e sua adorável poesia. Ele também necessitara de tudo de bom que ela fazia, como convidar frequentemente os amigos para virem à casa deles e sobretudo para lhe darem uma força, depois que ele ficou preso na armadura.

Recordou os tempos em que as atividades de cavaleiro estavam em baixa e eles não tinham recursos para comprar roupas novas ou contratar serviçais. Juliet fizera belas vestimentas para a família e cozinhara pratos deliciosos para o cavaleiro e seus amigos. O cavaleiro lembrou que Juliet também mantinha o castelo muito limpo e que lhe dera vários castelos para manter limpos. Muitas vezes tinham de se mudar para um mais barato, quando ele voltava falido para casa, após uma cruzada. Ele deixava Juliet sozinha para fazer a maior parte da mudança, uma vez que costumava participar de torneios. Lembrou-se de como ela parecia exausta, enquanto movia seus pertences de um castelo para outro, e como ela ficava triste quando a armadura se interpunha entre eles.

— Não foi então que Juliet passou a ficar debaixo de tonéis de vinho? — perguntou Sam, com voz gentil.

O cavaleiro assentiu com a cabeça, e seus olhos começaram a encher-se de lágrimas. Então um pensamento aterrador lhe veio à mente: ele não quisera se culpar por tudo que fizera. Preferira culpar Juliet pelo hábito de beber vinho. Na verdade, ele precisava que ela tivesse esse hábito, para poder dizer que era tudo culpa dela — inclusive o fato de ele ter ficado entalado na armadura.

Quando o cavaleiro se deu conta de como havia usado Juliet injustamente, lágrimas rolaram sobre seu rosto. Sim, ele necessitara dela mais do que a amara. Quisera tê-la amado mais e necessitado menos dela, mas não sabia como.

Enquanto chorava, ocorreu ao cavaleiro que ele também necessitara de Christopher mais do que o amara. Um cavaleiro precisava de um filho que saísse e empreendesse batalhas em nome do pai, quando este ficasse velho. Isso não queria dizer que não amava Christopher, porque ele amava a beleza dos cabelos dourados de seu filho. Também gostava de ouvir Christopher dizer "Eu o amo, papai", mas ao mesmo tempo em que amava esses aspectos de Christopher, eles também eram uma resposta a uma necessidade que havia dentro dele.

Envolto em um clarão ofuscante, um pensamento surgiu na mente do cavaleiro: ele necessitara do amor de Juliet e de Christopher porque não se amava! Na verdade, ele necessitara do amor de todas as donzelas que resgatara dos dragões e de todas as pessoas por quem lutara nas cruzadas porque não se amava.

O pranto do cavaleiro se intensificou quando ele compreendeu que, se não se amava, não poderia realmente amar os outros. A necessidade que tinha deles era um obstáculo ao amor.

Quando admitiu isso, onde antes havia escuridão, um brilho se fez. Em torno do cavaleiro havia uma linda luz clara. Então uma terna mão tocou seu ombro. Olhando para cima, por entre as lágrimas, viu Merlin lhe sorrindo.

— Você descobriu uma grande verdade — explicou o mago ao cavaleiro. — É somente quando nos amamos que podemos amar os outros.

— Como começo a me amar? — perguntou o cavaleiro.

— Você já começou, pelo simples fato de saber o que sabe.

— Sei que sou um tolo — soluçou o cavaleiro.

— Não, você sabe a verdade, e verdade é amor.

Isso confortou o cavaleiro, e ele parou de chorar. Quando seus olhos secaram, ele percebeu a luz à sua volta. Era diferente de todas as luzes que tinha visto antes. Parecia vir de lugar nenhum e, ao mesmo tempo, de todos os lugares.

Merlin ecoou os pensamentos do cavaleiro:

— Não há nada mais bonito que a luz do autoconhecimento.

O cavaleiro contemplou a luz e, em seguida, encarou as trevas à frente.

— Não existe escuridão neste castelo para você, não é mesmo?

— Não — respondeu Merlin —, não mais.

Encorajado, o cavaleiro se levantou, pronto para seguir em frente. Agradeceu a Merlin por aparecer, mesmo sem ter sido chamado.

— Tudo bem — disse o mago —, às vezes a gente não sabe quando é hora de pedir ajuda. — E, dizendo isso, desapareceu.

Quando o cavaleiro recomeçou a andar, Rebecca surgiu da escuridão, voando à sua frente.

— Uau! — disse ela toda empolgada. — Tenho algo para lhe mostrar que você nem imagina!

O cavaleiro nunca tinha visto Rebecca tão animada. Normalmente ela era bastante comedida, mas agora subia e descia pulando no ombro dele, mal conseguindo se conter, enquanto guiava todos até um grande espelho.

— É esse! É esse! — arrulhou Rebecca, alto, seus olhos brilhando de entusiasmo.

O cavaleiro ficou desapontado:

— É apenas um velho espelho barato — disse ele, impacientemente. — Vamos, temos de seguir em frente.

— Não é um espelho *comum* — insistiu Rebecca. — Ele não mostra como você *parece*. Mostra o que você *realmente* é.

O cavaleiro ficou intrigado, mas não entusiasmado. Ele nunca ligara muito para espelhos, porque nunca se considerara muito atraente. Mas Rebecca insistiu, e, então, relutante, ele se pôs diante do espelho e olhou fixamente para o reflexo. Para sua surpresa, em vez de um homem alto com olhos tristes e nariz grande, encouraçado até o pescoço, viu uma pessoa charmosa e cheia de vida, cujos olhos brilhavam com compaixão e amor.

— Quem é esse? — perguntou ele.

Esquilo respondeu:

— É *você*.

— Este espelho é uma impostura — disse o cavaleiro. — Não é assim que eu aparento.

— Você está vendo seu *eu* verdadeiro — explicou Sam —, o eu que vive por debaixo dessa armadura.

— Mas — protestou o cavaleiro, olhando de forma penetrante para o espelho —, este homem é um espécime perfeito. E sua face é plena de beleza e inocência.

— Esse é o seu potencial — respondeu Sam —, ser belo, inocente e perfeito.

— Se esse é o meu potencial — disse o cavaleiro —, algo terrível aconteceu no meu percurso para realizá-lo.

— Sim — replicou Sam —, você colocou uma armadura invisível entre você e seus sentimentos verdadeiros. Ela está em você há tanto tempo, que se tornou visível e permanente.

— Talvez eu tenha *realmente* escondido meus sentimentos — disse o cavaleiro. — Mas eu não podia simplesmente dizer tudo que me vinha à cabeça e fazer tudo que tinha vontade de fazer. Ninguém iria gostar de mim.

Ao pronunciar essas palavras, o cavaleiro parou abruptamente, compreendendo que vivera toda a sua vida de maneira a fazer com que as pessoas gostassem dele. Pensou em todas as cruzadas que lutara, os dragões que matara e as donzelas que salvara do perigo — tudo para provar que ele era bondoso, gentil e amoroso. A verdade é que ele não precisava provar nada disso. Ele *era* bondoso, gentil e amoroso.

— Quanto tempo perdido! — exclamou ele. — Desperdicei minha vida inteira!

— Não — disse Sam rapidamente. — Nada foi perdido. Você precisava de tempo para aprender o que acabou de aprender.

— Mesmo assim sinto vontade de chorar — disse o cavaleiro.

— *Isso* sim seria um desperdício — disse Sam. Em seguida entoou esta curta cantiga:

"Lágrimas de autopiedade em desprazer terminam. Não são as desse tipo que armaduras eliminam."

O cavaleiro não estava com ânimo para apreciar as cantigas de Sam ou mesmo seu humor.

— Pare com essas rimas desagradáveis ou vou chutá-lo para fora daqui — berrou ele.

— Você não pode me chutar para fora — divertiu-se Sam. — Eu sou *você*. Você se esqueceu?

Naquele momento, o cavaleiro teria dado um tiro em si mesmo com satisfação, para se livrar de Sam. Mas, felizmente, as armas de fogo ainda não tinham sido inventadas. Parecia não haver jeito de se livrar de Sam.

O cavaleiro olhou para o espelho mais uma vez. Bondade, amor, compaixão, inteligência e altruísmo retribuíram o olhar. Ele compreendeu que tudo que precisava fazer para possuir essas qualidades era reivindicá-las, pois elas sempre lhe haviam pertencido.

Com esse pensamento, a linda luminosidade resplandeceu novamente, mais clara do que antes. Ela iluminou a sala inteira, revelando, para surpresa do cavaleiro, que o castelo era composto de apenas uma sala gigantesca.

— É o código padrão para a construção de um Castelo do Conhecimento — disse Sam. — O verdadeiro conhecimento não é dividido em compartimentos, pois todo ele emana de uma verdade.

O cavaleiro concordou, balançando a cabeça, e, justo quando estava pronto para partir, Esquilo chegou correndo.

— Este castelo possui um pátio que tem uma grande macieira bem no meio.

— Oh, leve-me até ela — pediu o cavaleiro avidamente, já que estava começando a sentir muita fome.

O cavaleiro e Rebecca seguiram Esquilo até o pátio. Os galhos robustos da grande árvore curvavam-se com o peso das maçãs mais vermelhas e brilhantes que o cavaleiro já vira.

— O que acha dessas maçãs? — zombou Sam.

O cavaleiro pegou-se dando risadinhas. Depois notou uma inscrição esculpida numa laje de pedra, ao lado da árvore:

Para essa fruta, não imponho condição, mas que você agora aprenda sobre a ambição.

O cavaleiro refletiu sobre essas palavras, mas, francamente, não tinha a menor ideia do que elas queriam dizer. Decidiu ignorá-las.

— Se você fizer isso, nunca sairemos daqui — disse Sam.

O cavaleiro gemeu:

— Essas inscrições estão ficando cada vez mais difíceis de entender.

— Ninguém falou que o Castelo do Conhecimento seria moleza — disse Sam firmemente.

O cavaleiro suspirou, pegou uma maçã e se sentou debaixo da árvore com Rebecca e Esquilo.

— Vocês dão conta desta? — ele lhes perguntou.

Esquilo fez que não com a cabeça.

O cavaleiro olhou para Rebecca, que também fez que não com a cabeça.

— Mas sei *com certeza* — respondeu a pomba, pensando — que não tenho ambições.

— Nem eu — aparteou Esquilo —, e aposto que essa árvore também não tem nenhuma.

— Existe um propósito para ela — disse Rebecca. — Essa árvore é como a gente. Não tem ambições. Talvez não se precise delas.

— Isso está correto para árvores e animais — disse o cavaleiro. — Mas como seria uma pessoa sem ambição?

— Feliz — falou Sam abertamente.

— Não, acho que não.

— Vocês todos estão certos — disse uma voz familiar.

O cavaleiro virou-se e viu Merlin em pé atrás dele e dos animais. O mago estava vestido com seu longo manto branco e carregava um alaúde.

— Estava prestes a chamá-lo — disse o cavaleiro.

— Eu sei — replicou o mago. — Todos precisam de ajuda para entender uma árvore. As árvores estão satisfeitas simplesmente sendo árvores... assim como Rebecca e Esquilo estão felizes simplesmente sendo o que são.

— Mas os seres humanos são diferentes — protestou o cavaleiro. — Eles possuem mentes.

— Nós também temos mentes — declarou Esquilo, que ficara um pouco ofendido.

— Desculpe. É que os seres humanos têm mentes bastante complicadas, que fazem com que desejem tornar-se melhores — explicou o cavaleiro.

— Melhores do que o quê? — perguntou Merlin, tirando displicentemente um som do alaúde.

— Melhores do que são — respondeu o cavaleiro.

— Eles nascem lindos, inocentes e perfeitos. O que pode ser melhor do que isso? — perguntou Merlin.

— Não, estou querendo dizer que eles desejam ser melhores do que pensam que são, e desejam ser melhores do que os outros são... você sabe, como eu sempre quis ser o melhor cavaleiro do reino.

— Ah, sim — disse Merlin —, a ambição originada dessa sua mente complicada o levou a tentar provar que você era melhor do que os outros cavaleiros.

— E o que há de errado nisso? — perguntou o cavaleiro, na defensiva.

— Como você poderia ser melhor do que os outros cavaleiros, quando todos eles nasceram lindos, inocentes e perfeitos como você?

— Estava feliz tentando — replicou o cavaleiro.

— Estava mesmo? Ou será que você estava tão ocupado tentando *vir a ser* que não podia desfrutar de *ser* simplesmente?

— Você está me deixando muito confuso — resmungou o cavaleiro. — Sei que as pessoas necessitam de ambição. Elas desejam ser inteligentes e ter bons castelos e desejam poder trocar o cavalo do ano passado por um novo. Elas querem progredir.

— Agora você está falando sobre o desejo que o ser humano tem de ser rico, mas se ele é bondoso, amoroso, compassivo, inteligente e altruísta, como poderia ser mais rico?

— Essas riquezas não compram castelos e cavalos — disse o cavaleiro.

— É verdade — Merlin sorriu —, existe mais de um tipo de riqueza... assim como existe mais de um tipo de ambição.

— Para mim, ambição é ambição. Ou a pessoa deseja progredir ou não.

— Não é tão simples assim — respondeu o mago. — A ambição originada na mente pode lhe render lindos castelos e belos cavalos. Entretanto, somente a ambição que vem do coração pode trazer também felicidade.

— O que é ambição que vem do coração? — questionou o cavaleiro.

— A ambição do coração é pura. Ela não compete com ninguém, nem fere ninguém. Na verdade, ela o serve de tal maneira que serve os outros ao mesmo tempo.

— Como? — perguntou o cavaleiro, esforçando-se para compreender.

— É nesse ponto que podemos aprender com a macieira. Ela se tornou graciosa e plenamente madura, cheia de bons frutos que ela dá livremente a todos. Quanto mais maçãs as pessoas retiram dela — disse Merlin —, mais ela cresce e mais formosa se torna. Esta árvore está fazendo exatamente o que macieiras devem fazer: atingindo seu potencial para benefício de todos. Pode acontecer o mesmo com as pessoas, quando a ambição delas vem do coração.

— Mas — objetou o cavaleiro — se eu ficasse por aí o dia todo dando maçãs de graça, não teria condições de possuir um elegante castelo nem poderia trocar o cavalo do ano passado por um novo.

— Você, como a maioria das pessoas, deseja possuir uma porção de coisas boas, mas é necessário separar necessidade de ganância.

— Vá dizer isso a uma esposa que deseja um castelo em um reino melhor — retorquiu o cavaleiro.

Um ar de divertimento despontou no rosto de Merlin:

— Você poderia vender algumas de suas maçãs para pagar pelo castelo e cavalo novos. Depois poderia doar as maçãs de que não precisasse para que outros pudessem se alimentar.

— É mais fácil para as árvores do que para as pessoas neste mundo — disse o cavaleiro, filosoficamente.

— É tudo uma questão de percepção — disse Merlin. — Você recebe a mesma energia vital que a árvore. Compartilha da mesma água, do mesmo ar e do mesmo alimento da terra. Garanto-lhe que, se aprender com a árvore, também poderá gerar os frutos que a natureza tem o propósito de gerar — e logo terá todos os castelos e cavalos que desejar.

— Você quer dizer que eu poderia conseguir tudo de que preciso simplesmente permanecendo enraizado e sem sair do meu próprio quintal? — perguntou o cavaleiro, zombeteiramente.

Merlin riu.

— Aos seres humanos foram dados dois pés para que não precisassem ficar em um mesmo lugar, mas, se ficassem sossegados mais vezes para aceitar e desfrutar, em vez de ficarem correndo de um lado para o outro atrás das coisas, compreenderiam verdadeiramente a ambição que vem do coração.

O cavaleiro sentou-se silenciosamente, refletindo sobre as palavras de Merlin. Contemplou a macieira florescendo diante dele. Seus olhos se deslocaram da árvore para Esquilo, depois para Rebecca e finalmente para Merlin. Nem a árvore nem os animais tinham ambição, e a ambição de Merlin vinha obviamente do coração. Todos eles pareciam felizes e bem nutridos; eram todos belos espécimes da vida.

Em seguida considerou a si mesmo — emagrecido e com uma barba que começava a ficar desgrenhada novamente. Estava subnutrido, nervoso e exausto de ficar arrastando sua pesada armadura de um lado para o outro. Tudo isso ele adquirira por causa da ambição de sua mente, e agora sabia que tudo isso precisava mudar. A ideia era assustadora, mas, ora, ele já perdera tudo, então o que tinha a perder?

— De agora em diante, minha ambição virá do coração — jurou ele.

Ao pronunciar essas palavras, o castelo e Merlin desapareceram, e o cavaleiro encontrou-se de novo no Caminho da Verdade, com Rebecca e Esquilo. Junto ao caminho havia um borbulhante riacho. Sedento, ele se ajoelhou para beber água e percebeu, um tanto surpreso, que a armadura sobre seus braços e suas pernas havia enferrujado e desprendido. Sua barba estava bastante longa outra vez. Evidentemente, o Castelo do Conhecimento, como o Castelo do Silêncio, pregou peças no tempo.

O cavaleiro ponderou sobre esse fenômeno um tanto curioso e logo compreendeu que Merlin estava certo. Ele chegou à conclusão de que o tempo *realmente* passa rápido quando se está em contato consigo mesmo. Relembrou quantas vezes o tempo se arrastara indefinidamente, quando tinha dependido dos outros para preenchê-lo.

Tendo se livrado de toda a armadura, exceto do peitoral, o cavaleiro sentiu-se leve e jovem como há muitos anos não se sentia. Ele também descobriu que estava gostando de si como há muito tempo não gostava. Com os passos firmes como os de um jovem, partiu em direção ao Castelo da Vontade e da Ousadia, com Rebecca voando acima dele e Esquilo contornando seus calcanhares.

Capítulo Seis

O CASTELO DA VONTADE E DA OUSADIA

Ao alvorecer do dia seguinte, o curioso trio chegou ao último castelo. Era mais alto que os outros e suas paredes pareciam mais grossas. Confiante de que logo também passaria por este castelo, o cavaleiro começou a travessia da ponte levadiça, seguido dos animais.

Quando estavam na metade do caminho, a porta do castelo foi escancarada e dela saiu um ruidoso, ameaçador e imenso dragão. Ele soltava fogo pelas ventas, cintilando com escamas verdes e brilhantes. Chocado, o cavaleiro ficou paralisado onde estava. Ele vira alguns dragões nos velhos tempos, mas este suplantava todos. Era enorme, e as chamas saíam rugindo não apenas da boca, como acontecia com qualquer dragão comum, mas também dos olhos e das orelhas. Para piorar ainda mais a situação, as chamas eram azuladas, o que significava que este dragão continha grande quantidade de butano.

O cavaleiro buscou a espada, mas suas mãos não encontraram nada. Ele começou a tremer. Com uma voz alterada e irreconhecível, ele chamou Merlin para pedir ajuda, mas, para seu desânimo, o mago não apareceu.

— Por que será que ele não vem? — perguntou-se o cavaleiro, ansioso, enquanto se esquivava de um jato de chama azul expelido pelo monstro.

— Não sei — replicou Esquilo. — Em geral, sempre podemos contar com ele.

Rebecca, que estava sentada sobre o ombro do cavaleiro, aprumou a cabeça e ouviu atentamente:

— Pelo que posso captar, Merlin está em Paris participando de uma conferência de magos.

"Ele não pode me abandonar agora", pensou o cavaleiro. "Ele prometeu que não haveria dragões no Caminho da Verdade."

— Ele estava se referindo a dragões comuns — rugiu o monstro, com uma voz ribombante que balançou as árvores e quase derrubou Rebecca do ombro do cavaleiro.

A situação parecia periclitante. Um dragão que podia ler os pensamentos era sem dúvida muito assustador, mas de algum modo o cavaleiro conseguiu se controlar e parar de tremer. Com a voz autoritária mais forte e alta que conseguira fazer, ele gritou:

— Saia do meu caminho, seu bico de Bunsen tamanho família.

A besta bufou, lançando fogo para todos os lados:

— Uma fala bastante valente para um gato amedrontado.

Sem saber o que fazer em seguida, o cavaleiro tentou ganhar tempo, perguntando:

— O que você está fazendo no Castelo da Vontade e da Ousadia?

— Em que lugar melhor você pensa que eu poderia morar? Sou o Dragão do Medo e da Dúvida.

O cavaleiro teve de admitir que este dragão tinha o nome certo. Medo e dúvida eram exatamente o que ele sentia.

O dragão vociferou outra vez:

— Estou aqui para eliminar todos esses insolentes que pensam que podem vencer a todos somente porque passaram pelo Castelo do Conhecimento.

Rebecca sussurrou no ouvido do cavaleiro:

— Uma vez Merlin disse que o autoconhecimento pode matar o Dragão do Medo e da Dúvida.

— Você acredita nisso? — sussurrou o cavaleiro para ela.

— Sim — respondeu Rebecca, firmemente.

— Então *você* pode lutar com esse divertido lançador de chamas verdes! — O cavaleiro deu a volta e rapidamente se afastou pela ponte levadiça.

— Ah, ah, ah — riu o dragão, seu último "ah" quase ateando fogo às calças do cavaleiro.

— Você vai desistir, depois de ter chegado tão longe? — perguntou Esquilo, enquanto o cavaleiro removia faíscas de sua armadura.

— Não sei — replicou o cavaleiro. — Acabei me acostumando a alguns pequenos luxos... como viver, por exemplo.

Sam entrou na conversa:

— Como pode viver consigo, se não tem a vontade e a ousadia para testar seu autoconhecimento?

— Você também acredita que o autoconhecimento pode matar o Dragão do Medo e da Dúvida? — perguntou o cavaleiro.

— Certamente. O autoconhecimento é verdade, e você sabe o que dizem: a verdade é mais poderosa que a espada.

— Sei que dizem isso, mas será que alguém já fez um teste e continuou vivo? — O cavaleiro se esquivou.

Tão logo proferiu essas palavras, o cavaleiro lembrou que não tinha de provar nada. Ele nascera bondoso, gentil e amoroso. Portanto, não precisava sentir medo e dúvida. O dragão não passava de uma ilusão.

Olhou através da ponte levadiça e viu o monstro remexendo o chão com a pata e incendiando alguns arbustos nas cercanias, aparentemente para manter a prática. Pensando que o dragão existia somente se ele acreditasse nisso, o cavaleiro respirou fundo e caminhou lentamente de volta pela ponte levadiça.

O dragão, é claro, veio mais uma vez ao encontro dele, bufando e cuspindo fogo. Dessa vez, entretanto, o cavaleiro continuou marchando em frente. Porém, sua coragem logo começou a derreter, assim como sua barba, devido ao calor das chamas do dragão. Gritando de medo e angústia, o cavaleiro deu meia-volta e correu.

O dragão soltou uma estrondosa gargalhada e atirou um jato de chama cauterizante no cavaleiro em retirada. Urrando de dor, o cavaleiro atravessou voando a ponte levadiça, com Esquilo e Rebecca logo atrás dele. Localizando um pequeno riacho, rapidamente enfiou a parte chamuscada na água fresca, extinguindo as chamas com um silvo.

Esquilo e Rebecca permaneceram na margem, tentando consolá-lo.

— Você foi muito corajoso — disse Esquilo.

— Nada mal para uma primeira tentativa — acrescentou Rebecca.

Atônito, o cavaleiro levantou o olhar dali onde estava sentado:

— O que você quer dizer com *primeira* tentativa?

Esquilo disse como quem não quer nada:

— Você será mais bem-sucedido quando voltar pela segunda vez!

O cavaleiro retrucou, com raiva:

— Volte *você* pela segunda vez!

— Lembre-se, o dragão era apenas uma ilusão — disse Rebecca.

— E o fogo que saía de sua boca? Era também uma ilusão?

— Era — respondeu Rebecca. — O fogo também era uma ilusão.

— Então por que me encontro sentado neste riacho com meu traseiro queimado? — perguntou o cavaleiro.

— Porque você tornou o fogo realidade, ao acreditar que o dragão era real — explicou Rebecca.

— Se você acredita que o Dragão do Medo e da Dúvida é real, você lhe dá poder para queimar suas calças e tudo mais — disse Esquilo.

— Eles estão certos — acrescentou Sam. — Você tem de voltar e encarar o dragão de uma vez por todas.

O cavaleiro sentiu-se encurralado. Eram três contra um. Ou melhor, eram dois e meio contra meio; pois a metade Sam do cavaleiro concordava com Esquilo e Rebecca, enquanto sua outra metade desejava permanecer no riacho.

Enquanto o cavaleiro pelejava com sua coragem vacilante, ouviu Sam dizer:

— Deus deu ao homem coragem. A coragem dá Deus ao homem.

— Estou cansado de ficar decifrando o que as coisas querem dizer. Preferia permanecer aqui sentado neste riacho e relaxar.

— Olhe — Sam o encorajou —, se você *encarar* o dragão, existe uma *possibilidade* de que ele venha a destruí-lo, mas se *não* encará-lo, ele *com certeza* o destruirá.

— As decisões são simples de tomar, quando não há outra alternativa — disse o cavaleiro. Relutante, ele fez força para se pôr de pé, respirou fundo e começou a atravessar a ponte levadiça mais uma vez.

O dragão olhou descrente para ele. Este era certamente um sujeito teimoso.

— Por aqui de novo? — resfolegou a fera. — Bem, *desta* vez vou queimar você *de verdade*!

Mas agora era um cavaleiro diferente que marchava em direção ao dragão — um que recitava, sem parar, "medo e dúvida são ilusões".

O dragão despejou chamas gigantescas e crepitantes sobre o cavaleiro, vezes e vezes seguidas; contudo, por mais que o monstro tentasse e tentasse, não conseguia incendiá-lo.

O cavaleiro continuava a se aproximar e o dragão se tornava cada vez menor, até que finalmente não era maior do que um sapo. Suas chamas se extinguiram, e ele começou a cuspir pequenas sementes sobre o cavaleiro. Mas estas sementes — as Sementes da Dúvida — também não o impediram de continuar. O dragão tornou-se ainda menor, enquanto o cavaleiro continuava a avançar determinadamente.

— Venci! — bradou o cavaleiro, vitoriosamente.

O dragão mal podia falar:

— Talvez desta vez, mas voltarei vez após outra para me colocar no seu caminho. — Dito isso, ele desvaneceu-se numa lufada de fumaça azul.

— Volte sempre que quiser — o cavaleiro o desafiou. — Cada vez que voltar, eu estarei mais forte e você estará mais fraco.

Rebecca alçou voo e pousou no ombro do cavaleiro:

— Está vendo, eu estava certa. O autoconhecimento *pode* matar o Dragão do Medo e da Dúvida.

— Se você acreditava *realmente* nisso, por que não veio enfrentar o dragão comigo? — perguntou o cavaleiro, não mais se sentindo inferior à sua amiga empenada.

Rebecca afofou as penas e disse:

— Não gostaria de interferir. É a sua viagem.

Rindo, o cavaleiro pôs-se em movimento para alcançar a porta do castelo, mas o Castelo da Vontade e da Ousadia havia sumido!

Sam explicou:

— Você não tem de aprender coragem e ousadia, porque acabou de mostrar que as possui.

O cavaleiro jogou a cabeça para trás, rindo de pura alegria. Ele podia ver o topo da montanha. O caminho parecia muito mais íngreme do que tinha sido até aquele ponto, mas não importava.

Ele sabia que *nada* poderia detê-lo agora.

Capítulo Sete
O VÉRTICE DA VERDADE

Centímetro a centímetro e mão após mão, o cavaleiro escalou a montanha, os dedos sangrando de apoiar-se em pedras afiadas. Quando estava quase no topo, seu caminho foi bloqueado por uma imensa rocha. Não era de surpreender que houvesse uma inscrição esculpida nela:

Embora possua este universo, nada possuo, pois não posso conhecer o desconhecido, se ao conhecido me agarro.

O cavaleiro sentiu que estava exausto demais para sobrepujar esse obstáculo final. Parecia impossível decifrar a inscrição, pois se encontrava ao mesmo tempo agarrado à parte lateral da montanha, mas ele sabia que tinha de tentar.

Esquilo e Rebecca se sentiram tentados a demonstrar simpatia, mas logo se detiveram, sabendo que a simpatia pode enfraquecer o ser humano.

O cavaleiro respirou fundo, o que clareou um pouco seus pensamentos. Então leu em voz alta a última parte da inscrição: "pois não posso conhecer o desconhecido, se ao conhecido me agarro".

Refletiu sobre alguns dos "conhecidos" a que se agarrara durante toda a sua vida. Havia sua identidade — quem ele pensava que era e quem ele pensava que não era. Havia suas crenças — tudo aquilo que pensava ser verdadeiro e que pensava ser falso. E havia seus julgamentos — as coisas que considerava boas e as coisas que considerava ruins.

O cavaleiro levantou os olhos para a pedra, e um pensamento assustador entrou em sua mente: a pedra a que se agarrava para proteger sua estimada vida também era conhecida dele. A inscrição não queria dizer que ele teria de se desprender e cair no abismo do desconhecido?

— Você compreendeu certo, cavaleiro — disse Sam. — Você tem de se soltar.

— O que você está tentando fazer? Matar a nós dois? — gritou o cavaleiro.

— Na verdade, estamos morrendo bem agora — disse Sam. — Olhe para si mesmo. Você está tão magro que poderia passar debaixo de uma porta, além de estar exausto e cheio de medo.

— O meu medo agora *nem se compara* com o que eu costumava sentir — disse o cavaleiro.

— Se é assim, então se solte e *acredite* — disse Sam.

— Acreditar *em quem*? — retrucou o cavaleiro, com a cabeça quente. Ele já estava farto da filosofia de Sam.

— Não *quem* — replicou Sam. — Não é um *quem*, mas um *isso*!

— *Isso*? — perguntou o cavaleiro.

— Sim — disse Sam. — *É...* a vida, a força, o universo, Deus... como você quiser chamar isso.

O cavaleiro olhou por cima do ombro para a fenda aparentemente sem fim terra abaixo.

— Solte-se — sussurrou Sam, pressionando.

O cavaleiro parecia não ter escolha. Suas forças se esvaíam a cada segundo que passava, o sangue escorria pela ponta de seus dedos agarrados à pedra. Acreditando que morreria, o cavaleiro se soltou e mergulhou nas profundezas infinitas de suas memórias.

Ele relembrou tudo em sua vida pelo que havia culpado sua mãe, seu pai, seus professores, sua esposa, seus amigos e todos os outros. À medida que mergulhava ainda mais fundo no vazio, desprendia-se de todos os julgamentos que fizera contra essas pessoas.

Caía mais e mais rapidamente, sentindo vertigens com sua mente descendo até o coração. Então, pela primeira vez, viu sua vida com lucidez, sem julgamentos e sem desculpas. Naquele instante, aceitou plena responsabilidade por sua vida, pela influência que as pessoas tiveram sobre ela e pelos acontecimentos que a tinham modelado.

Daquele momento em diante, não mais culparia ninguém ou qualquer coisa fora dele por seus erros e infortúnios. O reconhecimento de que ele era a causa, não o efeito, lhe deu um novo sentimento de poder. Agora não tinha mais medo.

Um senso desconhecido de calma o envolveu, e algo estranho aconteceu: ele começou a cair *para cima*! Sim, embora parecesse impossível, ele estava caindo para cima, subindo para fora do abismo! Ao mesmo tempo, ainda se sentia conectado à parte mais profunda dele — na verdade, sentia-se conectado ao próprio centro da terra. Ele continuou caindo cada vez mais alto, sabendo que estava unido tanto ao céu quanto à terra.

De repente, não estava mais caindo, mas em pé no topo da montanha, e compreendia o total significado da inscrição na rocha. Ele se desprendera de tudo que temia e tudo que tinha conhecido e possuído. Sua vontade de abarcar o desconhecido o tinha libertado. Agora o universo lhe pertencia para experimentar e desfrutar.

O cavaleiro permaneceu no topo da montanha respirando profundamente; uma sensação irresistível de bem-estar percorreu seu ser. Ele foi ficando atordoado com o encantamento de ver, ouvir e sentir o universo que o circundava inteiro. Antes, o medo do desconhecido embotara seus sentidos, mas agora ele era capaz de experimentar tudo com uma clareza de tirar o fôlego. O calor do sol da tarde, a melodia da gentil brisa da montanha e a beleza dos contornos e cores da natureza, que pintavam a paisagem tão longe quanto seus olhos podiam ver, encheram o cavaleiro de um prazer indescritível. Seu coração transbordava de amor — por si mesmo, por Juliet e Christopher, por Merlin, por Esquilo e por Rebecca, pela vida e por esse mundo inteiro e maravilhoso.

Esquilo e Rebecca observaram o cavaleiro ajoelhar, lágrimas de gratidão jorrando de seus olhos. "Quase morri pelas lágrimas que deixei de chorar", ele pensou. As lágrimas rolaram por sua face, passaram pela barba e atingiram o peitoral. Oriundas do coração, eram extremamente quentes e rapidamente derreteram o que restava da armadura.

O cavaleiro gritou de alegria. Nunca mais vestiria a armadura e sairia cavalgando em todas as direções. Nunca mais as pessoas veriam o brilhante reflexo de aço e pensariam que o sol estava nascendo no norte ou se pondo no leste.

Ele sorriu através das lágrimas, sem perceber que uma nova e radiante luz emanava dele — uma luz muito mais brilhante e bonita do que sua armadura com o melhor dos polimentos: borbulhante como um riacho, brilhante como a lua, deslumbrante como o sol.

Pois, de fato, o cavaleiro *era* o riacho. Ele *era* a lua. Ele *era* o sol. Ele podia ser todas essas coisas de uma vez agora, e muito mais, porque ele era um com o universo.

Ele era *amor*.

O Começo

Este livro foi composto na tipografia
Bembo Std, em corpo 13,5/17,5, e impresso
em papel off-white no Sistema Cameron da
Divisão Gráfica da Distribuidora Record.